Mon atlas
du
Canada

QUÉBEC AMÉRIQUE jeunesse

Catalogage avant publication de Bibliothèque et Archives Canada
Vedette principale au titre :
   Mon atlas du Canada [document cartographique]
   Échelles multiples.
   Pour enfants de 6 ans et plus.

ISBN-13 978-2-7644-0844-5
ISBN-10 2-7644-0844-7

   1. Canada - Atlas pour enfants. 2. Atlas pour enfants. 3. Canada - Provinces -
Ouvrages pour la jeunesse.

G1115.M66 2006   j912.71   C2006-940202-7

Mon atlas du Canada a été créé et conçu par
Québec Amérique Jeunesse une division des
Éditions Québec Amérique inc.
3e étage
329, rue de la Commune Ouest
Montréal (Québec)
H2Y 2E1 Canada
T 514.499.3000   **F** 514.499.3010
www.quebec-amerique.com

Nous reconnaissons l'aide financière du gouvernement du
Canada par l'entremise du Programme d'aide au
développement de l'industrie de l'édition (PADIÉ) pour nos
activités d'édition.

Gouvernement du Québec – Programme de crédit d'impôt
pour l'édition de livres – Gestion SODEC.

Les Éditions Québec Amérique bénéficient du Programme
de subvention globale du Conseil des Arts du Canada.
Elles tiennent également à remercier la SODEC pour son
appui financier.

Conseil des Arts   Canada Council
du Canada   for the Arts

SODEC
Québec ::

10 9 8 7 6 5 4 3 2 1   Imprimé et relié à Singapour   12 11 10 09 08 07 06

Éditeurs
François Fortin
Caroline Fortin

Directrice éditoriale
Martine Podesto

Rédactrice en chef
Stéphanie Lanctôt

Rédactrice adjointe
Marie-Anne Legault

Designer graphique
Josée Noiseux

Graphistes
Émilie Corriveau
Mathieu Douville
Danielle Quinty

Directeurs artistiques
Anouk Noël
Jocelyn Gardner

Illustrateurs
Manuela Bertoni
Alain Lemire
Raymond Martin

Recherche photo
Gilles Vézina

Chargée de projet
Odile Perpillou

Cartographie
François Turcotte-Goulet

Validation
Jean Carrière
Julie Cailliau

Révision
Claude Frappier

Production
Guylaine Houle

Préimpression
Kien Tang
Karine Lévesque
Sophie Pellerin

Crédits photos

p.18 Montagnes © A. Badjura, **p.18** Cornouiller du Pacifique © J. Tringali, **p.18** Geai de Steller © G. Coffman, **p.19** Schiste de Burgess © S. Earle, **p.20** Jeunes Asiatiques © A. Maw, **p.21** Victoria © A. Maw, **p.21** Vancouver © S. Hawkins, **p.22** Précipice à bisons © C. J. White, **p.22** Rose aciculaire © B. Reynolds, **p.22** Bois pétrifié © PD Photo.org, **p.22** Grand Duc © G. Lavaty, **p.23** Parc national de Banff © A. Badjura, **p.24** Stampede de Calgary © Calgary Stampede, **p.24** Jasper © D. Wong, **p.25** Pied-Noir de l'Alberta © A. Klaw, **p.25** Edmonton © J. Dailey-O'Cain, **p.25** Calgary © G. Hebert, **p.26** Dune d'Athabasca © R. Wright, **p.26** Gélinotte à queue fine, lys rouge de l'Ouest et potasse © Ministère des Relations gouvernementales de Saskatchewan, **p.28** Machine agricole © H.Dreyer, **p.29** RCMP V.K. Chan, ArcticCircle Photography, **p.29** Jeunes Ukrainiens © Saskatchewan Centennial 2005/M. Greschner, **p.29** Saskatoon © J. Mineer, **p.29** Regina © D. Shaler, **p.30** Chouette lapone © R. Brady, **p.31** Ours polaire © E. Bouvier, **p.31** Pluvier siffleur © G. Prince, **p.32** Statue de Louis Riel © N. Giesbrecht, **p.32** Golden Boy © C. Turner, **p.32** Brandon © Développement économique de Brandon, **p.32** Train © D. Hagen, **p.33** Winnipeg © E. Bouvier, **p.34** Trille blanc © P. Stewart, Améthyste © D. Dyet, **p.34** Huard à collier © D. Backlund, **p.35** Chutes Niagara © J-M. Boutellier/http://Planetphoto.free.fr, **p.36** Fillette avec pommes © P. Hoffmann, **p.36** Caribana © S. Noseworthy, **p.37** Parlement canadien © M. Fiorillo, **p.37** Toronto © V. Ghiea, **p.38** Iris versicolore © J. Stahlman, **p.38** Harfang des neiges © J. Laurencelle, **p.39** Îles de la Madeleine © Tourisme Îles de la Madeleine/M. Bonato, **p.39** Parc national de la Mauricie © R. Zeithammer, **p.40** Jeunes Québécois © J. Noiseux, **p.41** Sirop d'érable © C. Chevalier, **p.41** Ville de Québec © C. Green, **p.41** Montréal © V. Ghiea, **p.42** Mésange à tête noire © H. Cummins, Miami University, **p.43** Dune de Bouctouche © A. Desruisseaux, **p.43** Baie de Fundy © Ministère du Tourisme et des Parcs/Nouveau-Brunswick, **p.44** Acadiens © Le pays de la Sagouine, **p.45** Moncton © Tourisme Moncton, **p.45** Fredericton © Tourisme Fredericton, **p.46** Balbuzard © A. Fossé, **p.46** Desmine © David K. Joyce, **p.47** Parc national des Hautes-Terres-du-Cap-Breton © C. Green, **p.47** Île de Sable © M.Tuttle, **p.48** Port-Royal © D. Mercer, **p.49** Citadelle d'Halifax © Destination Halifax/D. Towler, **p.49** Halifax © D. Towsey, **p.49** Folklore Écossais © M. Holmes, **p.50** Sol rouillé © N. Thorne, **p.50** Sabot de la Vierge © K. Taylor, **p.50** Geai bleu © G. Lazzaro, **p.51** Parc national de l'IPE © D. MacPhee, **p.51** Plage © B. Carnevale, **p.52** Province House © S. Godfrey, **p.52** Micmac © Lennox Island Cultural Centre, **p.53** Green Gables © A. Hines, **p.53** Charlottetown © M. Buchanan, **p.53** Pont de la Confédération © D. Lee, **p.54** Sarracénie pourpre © R. Lortie, **p.54** Macareux moine © D. Shaw/Fair Isle Bird Observatory, **p.54** Labradorite © J.M. Oldham/OldhaMedia, **p.55** Iceberg © Corel, **p.55** Parc national du Gros-Morne © M. White, **p.56** L'Anse aux Meadows © M. White, **p.57** Demasduit © Archives nationales du Canada, **p.57** St. John's © J. Zhang, **p.57** Hibernia © Hibernia Public Affairs, **p.58** Lazulite © D. Weinrich, **p.58** Épilobe à fleurs étroites © M. Skalitzky, **p.59** Aurore boréale © Tourisme Terre-Neuve et Labrador, **p.59** Soleil de minuit © V.K. Chan/ArcticCircle Photography, **p.59** Faucon Gerfaut © R. Brady, **p.59** Saxifrage à feuilles opposées © www.markblomster.com, **p.59** Lagopède alpin © S. Caron, **p.60** Whitehorse © R.Tanaka, **p.60** Yellowknife © Northwest Territories Resources Wildlife and Economic Development, **p.61** Iqaluit © V.K. Chan/ArcticCircle Photography, **p.61** Dene © Northwest Territories Resources Wildlife and Economic Development, **p.61** Jeune Inuit © V.Saltzman, **p.62** Place du Canada © Wikipedia/Simon P., **Couverture** iztok noc.

Les armoiries du Canada ont été reproduites avec la permission du gouvernement du Canada, 2006.

Les armoiries provinciales et territoriales ont été reproduites avec la permission des gouvernements correspondants, 2006.

Table des matières

Qu'est-ce qu'une carte ?

Une carte est un dessin d'un territoire particulier, vu de haut. Elle nous permet, par exemple, d'observer une ville comme si nous étions un oiseau en vol. Nous pouvons voir la position des rues et des bâtiments importants et repérer un lieu précis en un clin d'œil. Les cartes sont essentielles à ceux qui visitent un endroit pour la première fois. Elles leur permettent de s'orienter. Les cartes peuvent aussi donner beaucoup d'information sur les particularités d'un territoire et de ses habitants.

Cette image nous montre une ville telle que nous la voyons à partir d'une colline ou d'un gratte-ciel. Certaines rues sont cachées par des bâtiments.

Cette image nous montre la même ville, mais vue d'encore plus haut, comme un oiseau en vol ou un pilote d'avion peut la voir. Tous les bâtiments et toutes les rues sont visibles. C'est ce point de vue qui est dessiné sur une carte.

Il est difficile de représenter un territoire dans ses moindres détails. C'est pourquoi les personnes qui dessinent les cartes remplacent les éléments réels par des dessins simples appelés symboles. La signification de chaque symbole utilisé dans la carte est expliqué dans la légende.

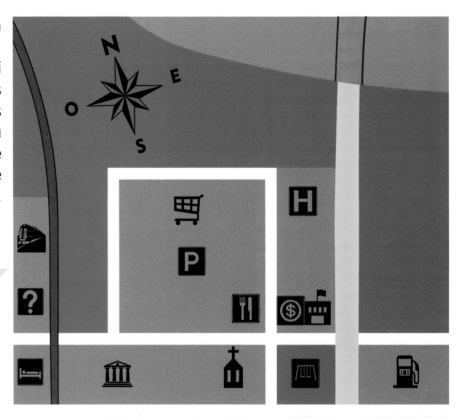

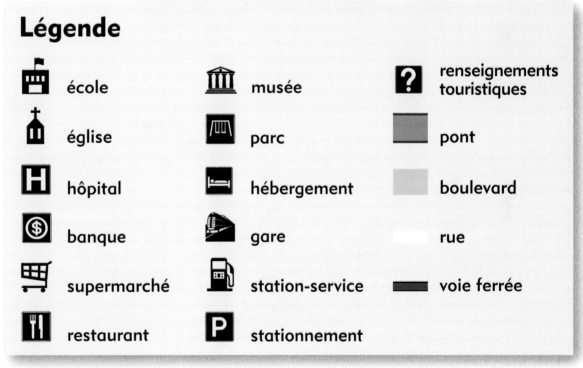

Légende

⛫	école	🏛	musée	❓	renseignements touristiques
⛪	église		parc		pont
H	hôpital	🛏	hébergement		boulevard
$	banque		gare		rue
🛒	supermarché	⛽	station-service		voie ferrée
🍴	restaurant	P	stationnement		

Une carte à l'échelle

Chaque élément représenté sur une carte est beaucoup plus petit que dans la réalité. Toutefois, ses proportions par rapport aux autres éléments de la carte sont conservées. On dit alors que la carte est dessinée «à l'échelle». Ainsi, lorsqu'une rue est deux fois plus longue qu'une autre sur la carte, on peut conclure qu'il en est ainsi dans la réalité.

La rose des vents

La plupart des cartes contiennent une rose des vents. Ce symbole en forme d'étoile indique la direction du nord, du sud, de l'est et de l'ouest.

À chacun sa carte !

Les automobilistes, les touristes et les randonneurs doivent tous utiliser une carte pour se diriger. Toutefois, ils n'ont pas tous les mêmes besoins. Il existe donc divers types de cartes. La carte destinée aux automobilistes met l'accent sur le réseau routier. La carte qu'utilisent les touristes représente les principales attractions d'une région. La carte utilisée par les randonneurs décrit les sentiers, les cours d'eau et les montagnes. Il existe des cartes pour tous les goûts et tous les métiers. L'astronome travaille avec des cartes montrant la position des étoiles tandis que le météorologue conçoit des cartes indiquant la position des nuages.

La carte routière

La carte routière comporte des symboles différents pour représenter les autoroutes et les routes.

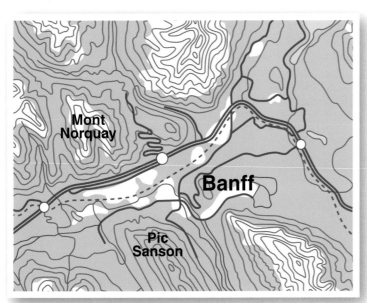

La carte de terrain

La carte de terrain montre l'emplacement des éléments naturels. Les montagnes sont représentées par des cercles qui sont de plus en plus petits à mesure qu'ils se rapprochent du sommet.

La carte du ciel

La carte du ciel présente la position des étoiles. Plusieurs groupes d'étoiles forment des dessins imaginaires appelés constellations. Celles-ci ont longtemps servi de points de repère aux marins et aux explorateurs.

Dessiner la Terre

Les cartographes sont des spécialistes qui dessinent des cartes. Ils doivent très souvent concevoir des cartes du monde. Pour dessiner notre planète ronde sur la surface plate d'une feuille de papier, ils disposent de plusieurs techniques. Aucune méthode n'est parfaite. Sur une carte du monde, les continents et les distances qui les séparent sont toujours plus ou moins déformés.

La Terre, une boule ronde

Le globe terrestre est une représentation fidèle de notre planète. Toutefois, cette boule ronde est encombrante et difficile à insérer dans un livre.

Éplucher la Terre

Une des techniques qui permet de représenter la Terre sur une surface plate consiste à « éplucher » le globe. C'est un peu comme peler une orange. L'écorce obtenue est mise à plat pour former une carte.

La carte du monde

L'écorce de la Terre, mise à plat, comporte de nombreux vides. Les cartographes remplissent ces vides en étirant les océans et les continents. Certaines parties du monde grossissent alors de façon exagérée.

L'histoire d'Atlas

Un atlas est un livre qui recueille plusieurs cartes. L'ouvrage tire son nom d'un géant imaginaire nommé Atlas. Selon les croyances des anciens Grecs, Atlas a voulu combattre les dieux. Pour le punir, ceux-ci l'ont condamné à porter la Terre et le ciel sur ses épaules.

Comment utiliser cet atlas ?

Dans cet atlas, chaque province et territoire est représenté par deux cartes. La première carte te renseignera sur les caractéristiques naturelles de chacun. Tu y découvriras les plantes et les animaux qui y vivent, les particularités du paysage et les richesses du sol. La deuxième carte t'informera sur la manière dont vivent les Canadiennes et les Canadiens. Cette carte te fera connaître les *industries* importantes de chaque région, l'emplacement des petites et des grandes villes et la vie au jour le jour des habitants.

Où suis-je ?

Ce globe permet de trouver rapidement où se trouve la province ou le territoire à l'intérieur du Canada.

Le climat et la végétation

Le *climat* varie d'une région à l'autre et influence la *végétation* et les animaux qui y vivent. Ces encadrés montrent, à l'aide d'illustrations, le type de végétation que l'on retrouve dans les provinces et territoires du Canada.

Glace et neige

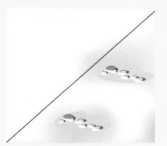

Le Nord canadien est recouvert de neige et de glace. Le climat y est si froid qu'aucune végétation n'y pousse.

Toundra

La toundra est une région dépourvue d'arbres. Seuls des mousses, du lichen et quelques arbustes y poussent.

Taïga

La taïga est une forêt de transition entre la toundra et la forêt boréale. Elle est composée de *conifères* dispersés.

Forêt boréale

La forêt boréale est constituée de conifères tels que des sapins, des épinettes et des pins.

Forêt mixte

La forêt mixte est une forêt de transition entre la forêt boréale et de feuillus. Elle est composée de feuillus et de conifères.

Forêt de feuillus

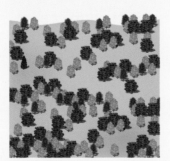

La forêt de feuillus est formée d'arbres dont les feuilles tombent à l'automne, tels que les érables et les bouleaux.

Prairie

Les prairies sont de grandes plaines couvertes d'herbes. Les arbres y sont rares et le sol est surtout exploité pour l'agriculture.

Montagnes

Les montagnes sont arrondies ou surmontées de hauts pics. Certains sommets sont si hauts que le climat froid empêche la végétation d'y pousser.

Qu'est-ce que c'est ?

Cette légende t'aidera à comprendre la signification des symboles utilisés pour chacune des cartes.

capitale du Canada

capitale d'une province ou d'un territoire

lac

rivière

mers et océans

chute

montagnes

récolte de la région

troupeau de bœufs

troupeau de vaches laitières

industrie forestière

mine

puits de pétrole

industrie

barrage hydroélectrique

pêche

aéroport

• London
ville

ville de taille moyenne

grande ville

route transcanadienne

route principale

chemin de fer

Est-ce bien loin ?

Pour calculer la distance entre deux endroits sur la carte, tu auras besoin d'une ficelle et d'une paire de ciseaux.

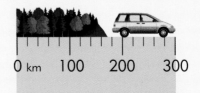
0 km   100   200   300

1. Coupe un bout de ficelle de la même longueur que la règle. Tu trouveras une règle semblable pour chaque province et territoire.

2. Le bout de ficelle que tu obtiendras équivaut à la distance indiquée sur la règle. Ici, la longueur de ton bout de corde équivaut donc à 300 kilomètres.

3. Pose ton bout de corde autant de fois qu'il le faudra entre deux points sur une carte pour connaître la distance qui les relie !

1 km (kilomètre) = 1000 m (mètres)

Où habites-tu ?

Certaines régions sont plus peuplées que d'autres. Plus le nombre de maisons est élevé dans une région donnée, plus il y a d'habitants dans cette région. Les gratte-ciel représentent une ville d'importance.

Des mots compliqués !

Certains mots dans cet atlas peuvent être difficiles à comprendre. Pour faciliter ta lecture, tu trouveras une explication des mots en caractères **_gras et italiques_** dans le glossaire à la page 64.

Les emblèmes

Tout comme le Canada, chaque province et territoire possède des emblèmes. Tu les trouveras sous leur onglet de couleur respectif.

| Fleur | Oiseau | Arbre | Minerai |

Autour du monde

En regardant la Terre de l'espace, nous pouvons constater que l'eau recouvre la majeure partie du globe. Ce sont les océans. On en distingue cinq : l'océan Pacifique, l'océan Atlantique, l'océan Indien, l'océan Arctique et l'océan Austral. Ces océans encerclent de vastes étendues de terre. Ce sont les continents : les Amériques (du Nord et du Sud), l'Europe, l'Afrique, l'Asie, l'Océanie et l'Antarctique.

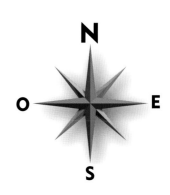

océan Arctique
L'océan Arctique est situé complètement au Nord de notre planète. Il est en partie recouvert de glace flottante.

Le Canada dans le monde
Le Canada est un pays situé dans l'hémisphère Nord de la Terre. Il fait partie de l'Amérique du Nord. Ce grand pays est bordé à l'est par l'océan Atlantique, à l'ouest par l'océan Pacifique et au nord par l'océan Arctique. Au sud du Canada, on retrouve un autre pays, les États-Unis.

L'**Amérique du Nord** est le deuxième plus grand continent. Elle comprend l'Amérique centrale, qui la relie à l'Amérique du Sud.

Amérique du Nord

Amérique centrale

– – – – – – – – – – – – **équateur** – – – – – –

océan Pacifique
L'océan Pacifique recouvre près du tiers de la surface du globe. C'est le plus grand des océans. Il est entouré par l'Asie, l'Australie et l'Amérique.

Amérique du Sud

L'**Amérique du Sud** est le prolongement de l'Amérique du Nord. Elle renferme la plus grande forêt tropicale de la planète : l'Amazonie.

L'**Antarctique** est un continent presque entièrement recouvert de glace. Il est situé au pôle Sud de la Terre. C'est le lieu le plus froid de notre planète.

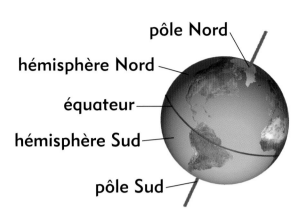

pôle Nord

hémisphère Nord

équateur

hémisphère Sud

pôle Sud

L'hémisphère Nord et l'hémisphère Sud

La Terre ressemble un peu à une toupie. Le pôle Sud se trouve tout en bas, au pied de la «toupie». Le pôle Nord est situé en haut, à sa tête. L'équateur ceinture notre planète, entre les deux pôles. Il divise le monde en deux parties : l'hémisphère Nord et l'hémisphère Sud.

Les pays

Les continents sont divisés en plusieurs pays. Il existe 192 pays dans le monde. Chaque pays possède son propre gouvernement et ses propres lois. Les frontières sont des lignes imaginaires qui séparent les pays. Le Canada partage une longue frontière avec les États-Unis.

On considère souvent l'**Europe** comme le prolongement de l'Asie. L'Europe et l'Asie sont séparées par les montagnes de l'Oural.

montagnes de l'Oural

Europe

Asie

L'**Asie** est le plus grand continent. C'est aussi le plus peuplé. Plus de la moitié des habitants de notre planète y vivent.

Afrique

↑ hémisphère Nord

↓ hémisphère Sud

océan Indien
L'océan Indien est situé entre l'Afrique et l'Océanie. Ses eaux sont les plus chaudes du monde.

Océanie

L'**Océanie** est le plus petit continent. Il est constitué d'îles réparties dans l'océan Pacifique. La plus grande de ces îles est l'Australie.

océan Atlantique
L'océan Atlantique est le deuxième plus grand océan. Il sépare les Amériques de l'Europe et de l'Afrique.

L'**Afrique** est le continent le plus chaud. On y trouve le plus vaste désert du monde : le Sahara.

océan Austral
L'océan Austral (ou océan Antarctique) entoure l'Antarctique. C'est un océan glacial où les vents sont redoutables.

Antarctique

Le Canada en bref

Le Canada est le deuxième plus grand pays au monde. Ses paysages comprennent de vastes étendues de forêts et de nombreux lacs et cours d'eau. Le Canada compte cinq grandes régions : la côte Ouest, les Prairies, les Grands Lacs et le fleuve Saint-Laurent, la région de l'Atlantique et les territoires du Nord. Le peuple canadien est très diversifié. Depuis 400 ans, des gens de diverses origines se sont installés au pays. Les **autochtones**, les premiers habitants du Canada, ne représentent aujourd'hui qu'une petite portion de la population. Les principales langues parlées sont l'anglais et le français. Le pays est divisé en dix provinces et trois territoires.

L'origine du mot Canada

Le mot Canada provient du mot iroquois *Kanata*, qui signifie « village ». Il y a plus de 450 ans, les Amérindiens qui ont accueilli l'explorateur français Jacques Cartier ont utilisé ce mot en tentant d'indiquer la direction de leur campement. C'est ainsi que Jacques Cartier baptisa cet immense territoire.

N

O **E**

S

Yukon

Whitehorse

Territoires du Nord-Ouest

Yellowknife

Colombie-Britannique

Alberta

Edmonton

Saskatche[wan]

Victoria

Regina

Je suis canadien

Le Canada compte plus de 30 millions d'habitants. La majorité de cette population se concentre dans les villes du Sud du pays, où le **climat** est plus doux et les terres plus fertiles.

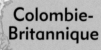

La **côte Ouest** est la région où le Canada et l'océan Pacifique se rencontrent. Des **chaînes de montagnes** spectaculaires recouvrent une partie de la Colombie-Britannique, de l'Alberta et du Yukon.

Les **Prairies** sont de vastes plaines qui couvrent l'Alberta, la Saskatchewan et le Manitoba. On y cultive des céréales en grande quantité.

Le castor, notre emblème

Le castor est l'emblème officiel du Canada. Le commerce de sa fourrure a joué un grand rôle dans l'histoire du pays.

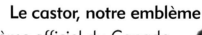

Devise du Canada
« D'un océan à l'autre »

Quel est le climat ?

Le Nord du Canada est caractérisé par un *climat* polaire. Les températures y sont très froides. Le Sud du Canada est caractérisé par un climat tempéré. Le temps y est variable, avec quatre saisons bien distinctes : l'été, l'automne, l'hiver et le printemps.

Les **territoires du Nord** sont formés du Yukon, des Territoires du Nord-Ouest et du Nunavut. Le sol y est gelé et couvert de neige une grande partie de l'année.

Le Nouveau-Brunswick, la Nouvelle-Écosse, l'Île-du-Prince-Édouard ainsi que Terre-Neuve et Labrador sont bordés par l'océan Atlantique. Ces quatre provinces forment la **région de l'Atlantique**.

Iqaluit

Nunavut

Terre-Neuve et Labrador

St. John's

Manitoba

Québec

Charlottetown

Ontario

Fredericton

Île-du-Prince-Édouard

Winnipeg

Québec

Halifax

Nouvelle-Écosse

Ottawa

Nouveau-Brunswick

Toronto

La capitale du Canada

Le parlement canadien est situé à Ottawa, la capitale du Canada. C'est ici que les dirigeants du pays se réunissent et votent les lois.

Les **Grands Lacs et le fleuve Saint-Laurent** arrosent l'Ontario et le Québec. Plus de la moitié des Canadiens habitent dans ces deux provinces.

Un arbre apprécié de tous

Une feuille d'érable est au centre du drapeau du Canada. Cet arbre a une grande valeur pour les Canadiens. Il est apprécié pour la qualité de son bois, la saveur sucrée de sa sève et la splendeur de son feuillage rouge en automne.

Les premiers habitants

On pense que les premiers habitants du Canada étaient originaires d'Asie. Il y a des milliers d'années, le niveau des océans était plus bas qu'aujourd'hui. Des Asiatiques auraient alors traversé la bande de terre qui reliait leur continent à l'Amérique du Nord. Ils se seraient ensuite dispersés pour former une multitude de nations **autochtones**. Chacune d'elles s'est adaptée au **climat** et aux **ressources** de son milieu. Les nations qui vivaient dans la même région ont donc développé un mode de vie très semblable.

Les grandes régions

Avant l'arrivée des Européens, les habitants du Canada étaient dispersés dans six grandes régions : l'Arctique, le Subarctique, la côte Pacifique, le plateau, les plaines et les forêts de l'Est.

Pêcheurs de la côte Pacifique

Les habitants de la côte du Pacifique vivaient principalement de la pêche au saumon. Les cèdres géants de la forêt Côtière leur fournissaient le bois nécessaire à la construction des grandes maisons, des canots et des totems. Ces mâts étaient des troncs d'arbres sculptés qui racontaient l'histoire de leur famille.

Hans
Kutchins
Inuits du Mackenzie
Couteaux-Jaunes
Tutchones
Lièvres
Mountain
Inuits du Cuivre
Tagish
Flancs-de-chiens
Netsilik
Tlingits
Tlingits de l'intérieur
Tahltan
Kaskas
Esclaves
Chipewyans
Tsetsaut
Sekani
Tsimshians
Castors
Haidas
Bella Coolas
Porteurs
Cris des bois
Chilcotin
Shuswaps
Sarcis
Kwakiutl
Lillooet
Nootkas
Cris des plaines
Salish de la côte
Kutenai
Pieds-Noirs
Assiniboines
Thompson
Nicolas
Gros Ventres
Okanagans
Saulteaux

Amérindiens du plateau

La vallée du plateau est entourée de montagnes et traversée par de nombreux cours d'eau. Les Amérindiens du plateau pêchaient le saumon des rivières et chassaient des animaux tels que la chèvre de montagne. L'hiver, les Salish creusaient des maisons dans la terre. Seuls les toits pointaient hors du sol.

Chasseurs de bisons des plaines

Le bison était au cœur de la vie des habitants des Prairies. Sa chair les nourrissait. Ses os et ses cornes servaient à la fabrication d'outils et d'ustensiles. Sa peau était utilisée dans la confection de vêtements et de tentes en forme de cône appelées tipis.

Des inventions autochtones

Les peuples amérindiens ont inventé plusieurs objets très utiles à la vie de tous les jours. Ils nous ont légué le toboggan et la raquette, pour voyager sur la neige. Pour se déplacer sur l'eau, ils ont inventé le canot. La crosse, un sport d'équipe, est aussi une invention amérindienne. Les Inuits ont conçu le kayak et l'anorak, un chaud manteau d'hiver, muni d'un capuchon.

L'enseignement

Les Amérindiens ne connaissaient pas l'écriture. Les enfants apprenaient l'histoire et les traditions de leur peuple à travers les contes et les légendes racontées par les membres les plus âgés de la communauté.

Inuits de l'Arctique

Les Inuits habitent dans le Nord du Canada, sur les côtes de l'océan Arctique. Peu de plantes poussent dans ce *climat* très froid. Pour survivre, les Inuits pêchaient des poissons et chassaient des mammifères marins comme le phoque et la baleine. L'hiver, plusieurs construisaient des igloos, des abris faits de blocs de neige durcie.

Chasseurs du Subarctique

Les habitants de cette région vivaient de la chasse et de la cueillette de fruits sauvages. Plusieurs étaient nomades et se déplaçaient constamment à la recherche de nourriture. L'été, ils voyageaient dans des canots d'écorce. L'hiver, ils se déplaçaient sur la neige à l'aide de raquettes.

Amérindiens des forêts de l'Est

Les Amérindiens des forêts de l'Est vivaient sur les terres fertiles qui bordent les Grands Lacs et le fleuve Saint-Laurent. Plusieurs d'entre eux vivaient dans des villages où ils pratiquaient l'agriculture. Les Iroquois construisaient de longues maisons de bois recouvertes d'écorces et cultivaient le maïs, la courge et les haricots.

Igluliks

Inuits des terres de Baffin

Inuits du Labrador

Inuits du Caribou

Inuits du Québec

Innus (Naskapis)

Innus (Montagnais)

Béothuks

Cris de l'Ouest

Cris de l'Est

Ojibwés du Nord

Micmacs

Attikameks

Malécites

Abénaquis

Iroquois

Algonquins

Ojibwés

Nipissings

Saulteaux du lac Winnipeg

Hurons

Outaouais

Petuns

Neutres

Les défis du Nouveau-Monde
Ligne du temps

L'exploration de l'Amérique par les Européens a commencé avec les Vikings. Ces derniers ont accosté sur l'île de Terre-Neuve, il y a près de 1 000 ans. Environ 500 ans plus tard, les Européens ont «redécouvert» l'Amérique alors qu'ils tentaient de trouver un raccourci pour atteindre l'Asie. Le capitaine Jean Cabot, qui naviguait sous le drapeau anglais, aurait atteint les rivages de Terre-Neuve ou de l'île du Cap Breton. Il faudra attendre une centaine d'années avant que les Français s'installent définitivement au Canada.

1837
Plusieurs colons se révoltent contre les dirigeants britanniques. Ils veulent occuper une plus grande place dans le gouvernement de leur colonie. Les rébellions sont écrasées par les soldats britanniques.

1793
L'explorateur Alexander Mackenzie traverse le Canada d'est en ouest et atteint l'océan Pacifique.

1783
Les Américains gagnent leur indépendance après des années de guerre contre les Britanniques. Les loyalistes, des Américains fidèles à la Grande-Bretagne, s'enfuient et peuplent le Sud du Canada.

1858
Des milliers de chercheurs d'or se ruent vers l'Ouest du Canada. Leur arrivée contribuera à peupler la Colombie-Britannique.

1867
Le Nouveau-Brunswick, la Nouvelle-Écosse, le Québec et l'Ontario se réunissent pour former le Canada. Aujourd'hui, les Canadiens célèbrent cet événement le 1er juillet, lors de leur fête nationale.

1869
Dans les prairies de l'Ouest, les Amérindiens et les Métis (descendants de parents amérindiens et européens) se révoltent contre l'arrivée de colons venus de l'Est. Le gouvernement canadien envoie des troupes pour écraser la révolte.

1999
Le gouvernement canadien crée un troisième territoire nordique: le Nunavut. Ce territoire est principalement gouverné par les Inuits.

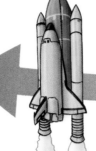

1984
L'astronaute Marc Garneau est le premier Canadien dans l'espace.

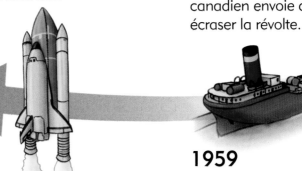

1959
La construction de la voie maritime du Saint-Laurent est terminée. Les gros bateaux peuvent désormais naviguer de l'océan Atlantique jusqu'aux Grands Lacs.

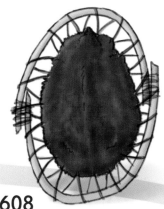

1534
Le *navigateur* Jacques Cartier explore le golfe du Saint-Laurent et prend possession du Canada au nom du roi de France.

1608
Des commerçants français viennent s'établir sur les rives du fleuve Saint-Laurent et fondent la ville de Québec. Ces **colons** échangent avec les Amérindiens des objets métalliques contre des fourrures de castors.

1763
Les Britanniques sortent gagnants d'une guerre qui les oppose aux Français. Ils prennent possession de tout le Canada. Les colons français du Québec conservent leurs terres, mais doivent désormais obéir aux autorités britanniques.

1755
Les Anglais, appelés dorénavant Britanniques, ont pris possession du territoire de la Nouvelle-Écosse. Les colons français qui s'y trouvent (les Acadiens) sont chassés de leurs terres et sont déportés de la **colonie**.

1670
Les Anglais créent la Compagnie de la Baie d'Hudson pour faire le commerce des fourrures avec les Amérindiens autour de la baie d'Hudson.

1885
Un chemin de fer traverse le Canada et relie l'océan Atlantique à l'océan Pacifique. Grâce à ce moyen de transport pratique et rapide, la colonisation de l'Ouest canadien s'accélère.

1914
La Première Guerre mondiale éclate en Europe. Des milliers de soldats du Canada et de Terre-Neuve traversent l'océan Atlantique pour se battre aux côtés des Britanniques.

1921
Les médecins canadiens Frederick Grant Banting et Charles Best découvrent l'insuline, ce qui permettra de sauver la vie des gens qui souffrent du diabète.

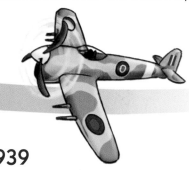

1949
Terre-Neuve est la dernière province à se joindre au Canada, après le Manitoba en 1870, la Colombie-Britannique en 1871, l'Île-du-Prince-Édouard en 1873, l'Alberta et la Saskatchewan en 1905.

1939
La Deuxième Guerre mondiale éclate en Europe. Des milliers de Canadiens et de Terre-Neuviens prennent part aux combats.

1936
La *Canadian Broadcasting Corporation* (Société Radio-Canada) est créée. La radio informe et divertit les Canadiens d'un bout à l'autre du pays.

Colombie-Britannique

La mer et les montagnes

La Colombie-Britannique est la province située le plus à l'ouest du pays. Elle offre des paysages variés et grandioses. Sur la côte Ouest se trouvent des forêts abondantes peuplées d'arbres de plus de 100 ans. Dans l'Est de la province se dressent les Rocheuses. Sur les hauteurs de ces montagnes, les arbres poussent difficilement. Ils font place aux mousses, aux lichens et à de petits arbustes. Le Centre de la province est recouvert d'immenses vallées fertiles où s'insèrent, ici et là, des mini-déserts. La Colombie-Britannique est un endroit très riche en eau. On y compte plus de 24 000 lacs et cours d'eau.

Yukon

Le **mont Fairweather** est le plus haut sommet de la province (4 663 mètres).

Le **lac Atlin** est le plus grand lac naturel de la province.

Une forêt de géants

La forêt située près de la côte Ouest de la Colombie-Britannique est l'habitat de millions d'**espèces** d'animaux et de plantes. Les pluies y sont abondantes et le **climat**, humide et brumeux. On y retrouve quelques-uns des plus hauts et des plus vieux arbres du monde.

De hauts pics rocheux

Trois *chaînes de montagnes* traversent la Colombie-Britannique : les montagnes Rocheuses, la chaîne Columbia et la chaîne Côtière. La Colombie-Britannique est la région la plus montagneuse du Canada. Les Rocheuses sont la plus longue chaîne de montagnes en Amérique du Nord.

Origine du nom de la province
La Colombie-Britannique doit son nom au fleuve Columbia, qui coule dans le Sud de la province.

îles de la
Reine-Charlotte

orque épaulard

océan Pacifique

Le savais-tu ?

Le cèdre de l'Ouest de la forêt Côtière peut atteindre l'âge vénérable de 1 000 ans !

Les îles de la côte Ouest

Près de 6 000 îles longent la côte Ouest de la Colombie-Britannique. L'île de Vancouver est la plus grande île de l'*archipel*. Sa superficie est cinq fois plus grande que celle de l'Île-du-Prince-Édouard.

| cornouiller du Pacifique | geai de Steller | jade | cèdre de l'Ouest |

Les richesses du sol

Le sol de la Colombie-Britannique est riche en charbon, un *combustible* qui peut être brûlé pour produire de l'électricité. La province est également une des plus grandes productrices de jade au monde. Cette pierre aux teintes verdâtres est utilisée dans la confection de bijoux.

couguar

Des fossiles dans les Rocheuses

Les schistes de Burgess sont des sols composés d'argile et de boue, découverts dans les montagnes Rocheuses en 1909. Ils contiennent des dizaines de milliers de *fossiles* d'animaux au corps mou, qui ont vécu il y a 545 millions d'années. Le site des schistes de Burgess est un des plus importants sites de fossiles au monde !

rivière Stikine

épinette blanche

lac Williston

rivière de la Paix

montagnes Rocheuses

Le **fleuve Fraser** est le plus long cours d'eau de la province (1 368 kilomètres).

Prince Rupert

chaîne Côtière

Prince George

grizzli

chaîne Columbia

fleuve Fraser

La **rivière Adams** accueille le plus grand rassemblement de saumons rouges au monde.

saumon rouge

loutre de mer

Douglas vert

pygargue à tête blanche

rivière Adams

fleuve Columbia

schistes de Burgess

Kamloops

île de Vancouver

Whistler

Kelowna

Alberta

chèvre de montagne

Les **chutes Della** sont les plus hautes du Canada (440 mètres).

Vancouver
Nanaimo
Victoria

États-Unis

Un pont vers le monde

Avec ses 4 millions d'habitants, la Colombie-Britannique est la troisième province la plus peuplée du Canada, après l'Ontario et le Québec. La moitié de la population habite dans la région de Vancouver. Cette province possède une diversité culturelle épatante. Elle est la terre de nombreux peuples *autochtones* comme les Gitkasan, les Nisga'a et les Haidas et des nouveaux venus du monde entier. L'*économie* de la Colombie-Britannique repose sur ses *ressources* naturelles, en particulier ses forêts et ses rivières. Nombreux sont les Britanno-Colombiens qui gagnent leur vie comme bûcherons ou comme pêcheurs.

Les grandes industries

La transformation du bois des forêts en papier et en matériaux de construction est l'activité économique la plus importante en Colombie-Britannique. Le tourisme arrive en deuxième position. Chaque année, la province attire des milliers de voyageurs qui viennent y faire du ski, visiter des jardins et des musées ou tout simplement admirer les magnifiques paysages.

Îles de la Reine-Charlotte

Pendant plus de 200 ans, le peuple Haida a érigé de grands totems sur ces îles. Ces mâts en bois sculpté représentaient l'animal emblématique de chaque famille.

Plusieurs visages, plusieurs langues

Chaque année, des dizaines de milliers de personnes provenant de partout dans le monde viennent vivre en Colombie-Britannique. De nombreux *immigrants* viennent d'Asie et apportent avec eux leurs coutumes et leurs traditions. Tous ces nouveaux venus font de la Colombie-Britannique une province merveilleusement colorée où il fait bon vivre.

océan Pacifique

Avez-vous votre billet ?

À l'ouest de la Colombie-Britannique se trouvent l'océan Pacifique et l'Asie. En raison de sa situation géographique particulière, la province relie le Canada aux différentes parties du monde. La compagnie *BC Ferries* possède une des plus grandes flottes de traversiers au monde. Les plus gros peuvent transporter 2 100 personnes et 470 véhicules à la fois.

Devise de la Colombie-Britannique
« Splendeur illimitée »

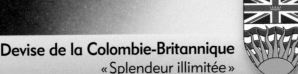

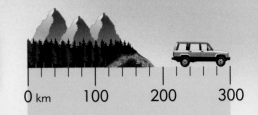

0 km   100   200   300

Yukon

Territoires du
Nord-Ouest

Alberta

Le savais-tu?

Le 7 novembre 1885,
Donald Alexander Smith,
un des fondateurs du chemin
de fer Canadien Pacifique,
posa le dernier crampon
qui attachait solidement
les rails. Une voie terrestre
reliait enfin le Canada d'un
océan à l'autre.

Le **lac Williston** est un *réservoir* créé pour produire de l'*hydroélectricité*. Il est le neuvième plus grand réservoir hydroélectrique au monde et la plus grande masse d'eau de la province.

Prince Rupert

lac Williston

La vallée des vignes et des vergers

La vallée de l'Okanagan est une région fertile où poussent plusieurs variétés de fruits, dont des raisins, des cerises, des pêches et les fameuses pommes «délicieuses». Les agriculteurs de cette région emploient des milliers de travailleurs.

Prince George

Vancouver est la troisième plus grande ville du Canada. Entourée par la mer et les montagnes, cette ville dynamique jouit d'un *climat* doux.

Les **monts Whistler** et **Blackcomb** bénéficient de la plus longue saison de ski au Canada. Celle-ci débute au mois de novembre et se termine en juillet.

Kamloops

vallée de l'Okanagan

Whistler

île de Vancouver

Kelowna

Nanaimo

Vancouver

Victoria

États-Unis

Victoria est la plus vieille ville et la capitale de la province. Elle doit son nom à la reine Victoria, souveraine de la Grande-Bretagne de 1837 à 1901.

Alberta
Les merveilles de la nature

L'Alberta est la quatrième plus grande province du Canada. Tout comme la Saskatchewan et le Manitoba, elle fait partie d'un vaste territoire appelé Prairies canadiennes. Cette région est reconnue pour ses terres agricoles et ses zones de pâturage où broute le bétail destiné à la consommation. Les prairies de l'Alberta se trouvent dans le Sud de la province. Elles sont entourées de collines, de vallées et de plus de 800 lacs et rivières. La moitié Nord de l'Alberta est couverte de forêts. À l'ouest, la province partage les montagnes Rocheuses avec la Colombie-Britannique.

Origine du nom de la province
La province de l'Alberta porte le nom de la princesse Louise Caroline Alberta, quatrième fille de la reine Victoria.

Le savais-tu ?

L'Alberta est la seule province du Canada où il n'y a pas de rats. Depuis 1950, la province exerce un contrôle sévère visant à chasser cet animal indésirable de son territoire.

Un précipice à bisons
Les peuples amérindiens des prairies de l'Alberta ont chassé le bison pendant plus de 5 500 ans. Leur méthode consistait à conduire les énormes bêtes vers le haut d'une falaise pour les faire chuter. On trouve aujourd'hui jusqu'à 11 mètres d'os de bisons empilés dans ces précipices.

Les vents mangeurs de neige
Les chinooks sont des vents forts, chauds et secs en provenance des montagnes Rocheuses. En hiver, ils peuvent faire fondre jusqu'à 30 centimètres de neige en une heure seulement. Dans la langue du peuple amérindien Pieds-Noirs, *chinook* signifie «mangeur de neige».

N O E S

Colombie-Britannique

épinette noire

Grande Prairie

montagnes Rocheuses

Jasper

Le **mont Columbia** est la plus haute montagne de l'Alberta (3 747 mètres).

rose aciculaire | bois pétrifié | grand duc | pin tordu

Territoires du Nord-Ouest

Le **bison** est le plus gros mammifère terrestre du Canada.

bison

rivière de la Paix

lac Claire

Le **lac Athabasca** est un très grand lac situé à la frontière de l'Alberta et de la Saskatchewan.

carcajou

Saskatchewan

Fort McMurray

Petit lac des Esclaves

rivière Athabasca

barge marbrée

La **rivière Athabasca** est la plus longue rivière de l'Alberta (1 231 kilomètres).

rivière Saskatchewan Nord

Edmonton

cerf mulet

Red Deer

lac Louise

lac Moraine

serpent à sonnette

Banff

Calgary

rivière Saskatchewan Sud

Lethbridge

Medicine Hat

spermophile de Richardson

États-Unis

L'or noir de l'Alberta

Les sols de l'Alberta sont riches en pétrole, en charbon et en gaz naturel. Ces **combustibles** sont une source d'énergie précieuse. Ils sont utilisés pour le chauffage, la production d'électricité et comme carburants dans les véhicules motorisés.

Des paysages spectaculaires

L'Alberta compte près de 530 parcs et aires protégées. Le parc national de Banff fut le premier parc national créé au Canada. Son paysage époustouflant est composé de montagnes sauvages, de glaciers et de profonds canyons. Les lacs Moraine et Louise sont les lacs les plus photographiés au monde.

lac Moraine

Alberta, la capitale canadienne des dinosaures

Le parc provincial Dinosaur, situé dans la vallée de la rivière Red Deer, contient le plus important gisement d'os de dinosaures jamais découvert dans le monde. On y dénombre 35 **espèces** de dinosaures âgées d'environ 75 millions d'années.

Là où l'or est noir

L'Alberta compte plus de 3 millions d'habitants. Les peuples amérindiens ont été les premiers à s'installer sur ce territoire. Ils ont été rejoints par des *immigrants* provenant d'Allemagne, d'Ukraine et de Scandinavie. L'agriculture et l'élevage ont longtemps été au cœur de l'*économie* de l'Alberta. Mais après la découverte du pétrole, en 1947, plusieurs Albertains ont trouvé des emplois dans les villes. Edmonton et Calgary comptent à elles seules plus de la moitié de la population.

Le plus grand trésor enfoui au Canada

Le sable bitumineux est un mélange de sable, d'eau et de bitume (une substance noire qui ressemble à de la mélasse). Une fois séparé du sable, le bitume est transformé en pétrole. Les gisements de sable bitumineux de l'Alberta sont si importants qu'ils pourraient fournir le Canada en pétrole pendant plus de 100 ans !

Bon appétit !

Près d'un tiers du bœuf canadien est élevé en Alberta. Cela représente plus de 2 millions de vaches et de bœufs. On y élève aussi le bison des plaines pour sa viande et le mouton pour sa laine.

Grande Prairie

Colombie-Britannique

Jasper

Jasper est une ville splendide qui attire des millions de touristes chaque année.

L'expérience du rodéo

Le Stampede de Calgary est un des plus grands spectacles de plein air au monde. Plusieurs produits agricoles et artisanaux y sont exposés. Les cowboys peuvent aussi participer à un rodéo au cours duquel ils doivent monter un cheval sauvage ou un taureau déchaîné.

Devise de l'Alberta
« Fort et libre »

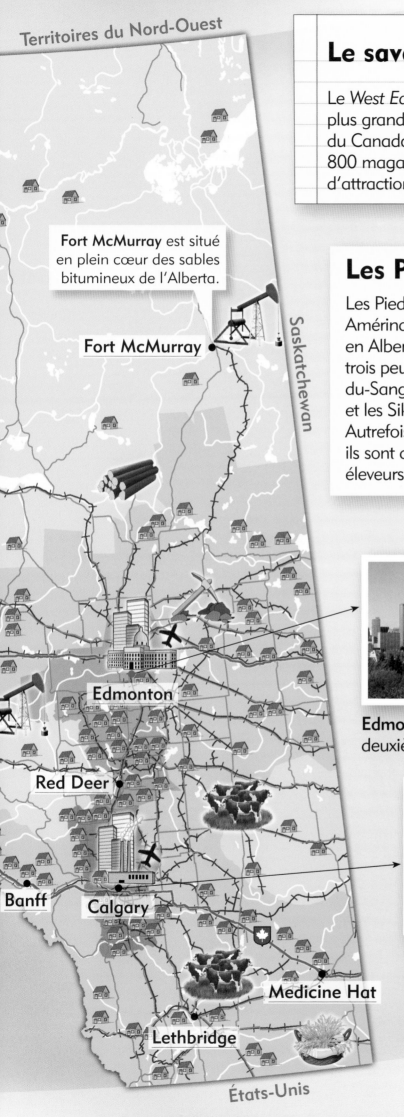

Fort McMurray est situé en plein cœur des sables bitumineux de l'Alberta.

Saskatchewan

Fort McMurray

Edmonton

Red Deer

Banff

Calgary

Medicine Hat

Lethbridge

Le savais-tu ?

Le *West Edmonton Mall* est le plus grand centre commercial du Canada. On y retrouve 800 magasins, des parcs d'attractions et une patinoire !

Les Pieds-Noirs de l'Alberta

Les Pieds-Noirs sont les Amérindiens les plus nombreux en Alberta. Ils sont formés de trois peuples : les Kainahs (Gens-du-Sang), les Pikunis (Peigan) et les Siksika (Pieds-Noirs). Autrefois chasseurs de bisons, ils sont devenus agriculteurs et éleveurs de bétail.

Edmonton est la capitale de l'Alberta et la deuxième ville la plus peuplée de la province.

Calgary est la ville la plus peuplée de l'Alberta.

0 km   100   200   300

États-Unis

Saskatchewan

Le grenier du Canada

La Saskatchewan est située au cœur des Prairies canadiennes, entre l'Alberta et le Manitoba. Son territoire presque rectangulaire peut être séparé en deux parties. La moitié Nord de la province est recouverte de forêts, de *marécages*, de lacs, d'étangs et de cours d'eau. Dans le Sud, le terrain est plutôt plat. Il est parsemé ici et là de collines et de rivières. Cette région est occupée par de nombreuses terres agricoles, ce qui vaut à la Saskatchewan son surnom de «grenier à blé du Canada».

Origine du nom de la province
Le nom de la province vient de celui de la rivière Saskatchewan. Les Cris l'avaient baptisée *kisiskatchewan sipi*, ce qui signifie «la rivière qui coule rapidement».

Le **lac Athabasca** est le plus grand lac de la province.

Des sculptures naturelles
Le parc provincial d'Athabasca possède des dunes de sable d'une hauteur de 30 mètres, soit l'équivalent d'un immeuble de 10 étages! Ces structures façonnées par le vent sont parmi les dunes situées le plus au nord.

lac Athaba...

fuligule à dos blanc

Alberta

pin gris

rivière Saskatchewan Nord

Lloydminster ●

Des montagnes au milieu des prairies
Les collines du parc international des collines du Cyprès rompent avec la monotonie des plaines environnantes. Elles constituent les plus hauts sommets situés entre les Rocheuses et le Labrador. Le nom du parc proviendrait d'une erreur faite par les premiers explorateurs. Ces derniers auraient confondu le pin de cyprès avec le pin lodgepole, qui y pousse en abondance.

Les **rivières Saskatchewan Nord et Sud** prennent leur source dans les montagnes Rocheuses. Elles se rencontrent en Saskatchewan après un parcours de plus de 1 000 kilomètres chacune et terminent leur route au Manitoba.

rivière Saskatchewan Sud

Les **collines du Cyprès** sont les plus hauts sommets de la province (1 392 mètres).

| bouleau blanc | gélinotte à queue fine | lys rouge de l'Ouest | potasse | pin lodgepole |

Territoires du Nord-Ouest

lac Wollaston

lac Cree

lac du Caribou

ours noir

lac la Ronge

Prince Albert

Manitoba

Saskatoon

antilope d'Amérique

Yorkton

rivière Qu'Appelle

Regina

Moose Jaw

chien de prairie

Estevan

États-Unis

N
O E
S

Les richesses du sol

Le sol du Sud de la province est riche en charbon, en pétrole, en gaz naturel et en uranium, un métal *radioactif*. La Saskatchewan est également réputée pour ses réserves de potasse. Ce *minerai* entre dans la fabrication d'engrais, de savons, de verre, de céramique, de teinture et de médicaments.

Comprendre les oiseaux

Le lac salé de Redberry est un refuge pour les oiseaux migrateurs. Ici, citoyens et scientifiques tentent de protéger et de mieux comprendre les quelque 200 *espèces* d'oiseaux qui y font escale à chaque année. Parmi ces espèces, on trouve la grue blanche et le faucon pèlerin.

grue blanche

Le savais-tu ?

Avec ses 2500 heures d'ensoleillement par année, Estevan est la ville la plus ensoleillée du Canada !

Une oasis délicieuse

La vallée de la rivière Qu'Appelle est une mosaïque de prairies et de boisés, parsemée de fermes. Ces terres fertiles sont réputées pour leurs baies délicieuses : les baies de Saskatoon.

Les traditions de l'Ouest

La Saskatchewan compte près de 1 million d'habitants. Elle est la seule province canadienne où un peu plus de la moitié de la population est d'origines ethniques diverses. Cette particularité contribue à créer une riche diversité culturelle qui est à la base même de la devise de la province : « La force de plusieurs peuples ». L'*économie* de la Saskatchewan repose d'abord sur l'agriculture, mais les Saskatchewannais occupent aussi des emplois au sein des *industries* minières, de la construction, du pétrole et du tourisme. L'été, ils renouent avec les traditions des cowboys et participent à des expositions agricoles.

Le savais-tu ?

La Saskatchewan est la seule province du Canada qui ne passe pas à l'heure avancée en été.

Les cowboys

Les agriculteurs saskatchewannais sont très attachés aux traditions de la vie des cowboys de l'Ouest. Les chevaux tiennent une place importante dans la vie des fermiers qui s'en servent pour conduire leurs troupeaux de bovins.

Le grenier du Canada

La Saskatchewan est le plus grand *producteur* de blé au Canada. La province produit plus de la moitié du blé canadien. On y récolte aussi d'autres céréales comme l'orge, l'avoine et le canola, utilisé pour la confection d'huile et de margarine.

Un bel exemple d'entraide !

En 1924, plusieurs familles d'agriculteurs se sont réunies pour fonder la *Saskatchewan Wheat Pool*, une des premières coopératives de la province. Cette alliance leur permet d'entreposer leurs céréales, de les vendre en plus grande quantité et de faire de meilleurs profits.

Alberta

Lloydminster

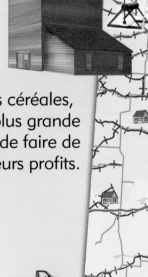

0 km   100   200   300

Territoires du Nord-Ouest

L'école de la police montée

L'école de la Gendarmerie royale du Canada est située à Regina. Les cadets y suivent une formation policière rigoureuse afin de devenir des modèles de discipline et de respect. Leur rôle consiste à protéger les citoyens et à faire respecter les lois canadiennes.

Les couleurs de l'Ukraine

Il y a un peu plus de 100 ans, les Ukrainiens ont immigré par centaines de milliers au Canada. Plusieurs se sont établis en Saskatchewan. Les traditions de ce peuple sont toujours vivantes et s'expriment à travers la danse folklorique, l'opéra et le théâtre.

Prince Albert est situé presque exactement au centre de la province.

Manitoba

Prince Albert

Saskatoon est la ville la plus peuplée de la province. Elle est séparée en deux parties par la rivière Saskatchewan Sud. Les sept ponts qui l'enjambent ont valu à la ville le nom de « ville des ponts ».

Saskatoon

Yorkton

Regina est la capitale de la Saskatchewan. C'est une ville où l'on trouve de nombreux parcs et des rues ombragées, au milieu des prairies ensoleillées.

Moose Jaw

Regina

On retrouve à **Moose Jaw** des chemins souterrains secrets creusés par les Chinois il y a 200 ans.

Devise de la Saskatchewan
« La force de plusieurs peuples »

Estevan

États-Unis

Manitoba
Le Centre du Canada

Le Manitoba est situé en plein cœur du Canada, à égale distance de la Colombie-Britannique et des provinces maritimes. Dans le Sud, les terres fertiles du Manitoba forment un triangle où l'on pratique l'agriculture et l'élevage. Le Centre de la province, pour sa part, est pourvu de lacs immenses qui offrent des kilomètres de plages sablonneuses. Au nord, les forêts denses peuplées de *conifères* cèdent lentement la place aux terres arides de la toundra. D'importantes rivières sillonnent cette région avant de se jeter dans la baie d'Hudson.

N
O — E
S

Saskatchewan

sapin baumi...

Les lacs du Manitoba

Le Manitoba compte plus de 100 000 lacs. Les lacs Winnipeg, Manitoba et Winnipegosis sont les plus vastes du Manitoba. Ils fournissent une grande partie des dorés, des brochets et des truites pêchés dans la province.

Origine du nom de la province
La province doit son nom au lac Manitoba. Manitoba provient de *manito-wapow*, une expression du peuple cri, qui signifie « le détroit du grand esprit ».

● Flin Flon

rivière Saskatchewan

lac Winnipegosis

Un milieu à protéger
Le parc du mont Riding est formé de vallées parsemées de collines et de *marécages*. Le mont Riding s'élève abruptement au milieu du parc. À ses pieds se trouve une vaste forêt d'épinettes blanches. On y étudie des espèces en voie de disparition, comme le couguar.

Le **mont Baldy** est la plus haute montagne du Manitoba (832 mètres).

Brandon ●

épinette blanche   chouette lapone   anémone pulsatile

Nunavut

baie d'Hudson

Churchill

bouleau nain

Observation d'ours polaires

Le parc national Wapusk est situé le long de la baie d'Hudson. En langue crie, *wapusk* signifie «ours blanc». Ce nom lui convient à merveille puisque le parc constitue la plus importante aire de naissances d'ours polaires au monde.

fleuve Churchill

Le **fleuve Churchill** est le plus long cours d'eau du Manitoba (1 609 kilomètres).

fleuve Nelson

orignal

Le savais-tu ?

La chouette lapone est la plus grande chouette du Canada. Les ailes déployées, elle mesure 1,4 mètre.

Thompson

castor

Ontario

Les richesses du sol

Le Manitoba est l'un des principaux *producteurs* de nickel et de cuivre au Canada. Le sol du Nord de la province cache d'autres métaux comme le zinc et l'or. On y retrouve aussi d'importants gisements de gypse, une roche à partir de laquelle on fabrique le plâtre.

esturgeon

Le **lac Winnipeg** est le plus étendu de la province.

lac Winnipeg

pélican blanc

peuplier

Des plages de sable blanc

Le parc provincial Grand Beach possède des plages et des dunes de sable blanc qui changent constamment de forme par l'action des vagues et du vent. C'est aussi un des sites de nidification du pluvier siffleur, un oiseau en voie de disparition.

lac Manitoba

Winnipeg

États-Unis

À la croisée des chemins

Plus de 1 150 000 personnes vivent au Manitoba. Une grande partie de la population y pratique la culture des céréales et l'élevage du porc. La province est aussi réputée pour ses *industries* de fabrication d'aliments, de transformation des métaux et de confection de vêtements. En raison de la place qu'il occupe au centre du Canada, le Manitoba est un point de départ important pour le transport des marchandises d'un bout à l'autre du pays. Province d'une grande richesse culturelle, le Manitoba est la terre des peuples amérindiens ojibwés, assiniboines et cris, de même que celle de nombreux *immigrants* anglais, français, allemands et ukrainiens.

Les Métis, un peuple fier

Les Métis sont issus de la rencontre des peuples amérindiens et européens, au cours des 17e et 18e siècles. Louis Riel, un important chef métis du 19e siècle, est considéré comme le père du Manitoba.

Flin Flon est un centre minier d'un peu plus de 6 000 habitants où l'on produit du zinc et du cuivre.

Flin Flon

Un symbole de fierté

Le Golden Boy est le symbole le plus connu du Manitoba. Placée au sommet du palais législatif, cette statue de 1 650 kilogrammes représente un jeune homme portant une gerbe de blé et un flambeau.

Brandon est la deuxième plus grande ville de la province.

Brandon

Saskatchewan

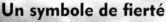

Devise du Manitoba
« Gloire et liberté »

L'énergie des rivières

Le Manitoba est un important *producteur* d'*hydroélectricité*. Des centrales hydroélectriques sont aménagées sur le fleuve Nelson et la rivière Churchill. Elles convertissent l'énergie de leurs eaux tumultueuses en électricité.

Le savais-tu ?

La ville de Winnipeg accueille les usines de fabrication de la Monnaie royale canadienne. On y fabrique aussi de la monnaie pour plusieurs autres pays.

Le mystère des animaux de pierre

Il y a des centaines d'années, les Amérindiens ont disposé des pierres en forme d'animaux, à Bannock Point. Cet endroit, situé dans le parc provincial du Whiteshell, est un lieu protégé. La signification de ces figures demeure un mystère.

Winnipeg est la capitale de la province et la ville la plus peuplée du Manitoba.

Nunavut

Churchill

Thompson

Ontario

Winnipeg

États-Unis

0 km   100   200   300

Ontario

Beautés sauvages

L'Ontario est la deuxième plus grande province du Canada. Avec ses 250 000 lacs et nombreux cours d'eau, ses vastes forêts, ses prairies et ses *marécages*, la province offre des habitats variés pour plusieurs *espèces* d'animaux. Les paysages de l'Ontario font aussi le bonheur des amateurs de plein air qui peuvent pratiquer la pêche, la chasse, le canotage et le ski dans les 280 parcs provinciaux.

Origine du nom de la province
Le nom Ontario vient du mot iroquois *onitariio* qui veut dire «beau lac».

rivière Severn

rivière Winisk

mélèze laricin

Manitoba

loup gris

épinette blanche

ours noir

lac Nipigon

lac des Bois

Thunder Bay ●

États-Unis

Le **lac Supérieur** est le plus grand lac d'eau douce au monde.

Le savais-tu ?

L'île Manitoulin, située en plein cœur du lac Huron, est la plus grande île en eau douce au monde. Elle est cinq fois plus grande que l'île de Montréal, au Québec.

Les Grands Lacs

Les lacs Supérieur, Michigan, Huron, Érié et Ontario forment le plus grand *réservoir* d'eau douce du monde. La frontière entre l'Ontario et les États-Unis divise quatre des cinq Grands Lacs en deux parties presque égales. Seul le lac Michigan est entièrement situé aux États-Unis.

trille blanc

améthyste

huard à collier

pin blanc

baie
d'Hudson

N
E
O
S

baie James

rivière Albany

Moosonee

rivière Moose

Québec

buse à
queue rousse

Timmins

cerf de Virginie

La **crête Ishpatina** est le
plus haut sommet de
l'Ontario (693 mètres).

Des forêts importantes

Les forêts recouvrent les deux tiers de
l'Ontario. Cette ***ressource*** naturelle est très
importante pour l'***industrie*** forestière
canadienne. Les arbres sont transformés
en papier et en bois de construction.

Les richesses du sol

Le sol ontarien est riche en métaux
comme l'argent, le zinc, le cuivre,
l'or et le nickel. L'Ontario est le
deuxième plus grand ***producteur***
de nickel au monde. Ce métal
blanc sert à fabriquer des piles et
des pièces de monnaie.

La **rivière des Outaouais**
(1 130 kilomètres) marque
la frontière entre le
Québec et l'Ontario.

rivière des Outaouais

Sudbury

rivière des Français

Ottawa • Cornwall

île
Manitoulin

lac
ichigan

lac Huron

brochet

chêne rouge

Kingston

Le **parc
national de la
Pointe Pelée** est
la région la plus
au sud du Canada.
Plus de 370 ***espèces***
d'oiseaux y vivent. C'est un
important ***corridor migratoire***
pour les oiseaux et le papillon
Monarque. Le ***climat*** chaud
permet la croissance de
l'oponce de l'Est, un cactus
en voie de disparition.

Oshawa

Toronto

lac Ontario

coyote

St. Catharines-
Niagara

Hamilton

Kitchener

Windsor

lac Érié

London

Des chutes spectaculaires

Les chutes du Niagara
mesurent presque
un kilomètre de large. Chaque
minute, 155 millions de litres d'eau,
soit l'équivalent de 50 piscines
olympiques, s'y déversent d'une
hauteur de 17 étages !

Un bouillon de culture

Avec ses 12 millions d'habitants, l'Ontario est la province la plus peuplée du Canada. Elle accueille à elle seule près du tiers de la population canadienne. La moitié des Ontariens vivent aux alentours des Grands Lacs. Cette région est un centre économique important, avec ses grandes villes et ses *industries*. La moitié des *immigrants* s'installent en Ontario. Plusieurs sont originaires d'Europe, d'Asie et des Antilles. À ce bouillon de *cultures* s'ajoutent celles des peuples amérindiens. L'Ontario est un centre culturel important et compte de nombreux musées, galeries d'art et théâtres.

Manitoba

Thunder Bay

États-Unis

Thunder Bay est la plus grande ville du Nord de l'Ontario.

Les meilleures terres du pays !

L'Ontario possède les meilleures terres agricoles du Canada. On y cultive des céréales, des pommes de terre, du soja et plusieurs fruits, tels que des pêches, des pommes et des raisins.

Un festival haut en couleur !

Des *cultures* des quatre coins du monde fleurissent en Ontario. Ce bouillonnement donne lieu à des festivités de toutes sortes. Caribana, un festival antillais, offre un large éventail de chants, de danses, de mascarades et de contes.

Devise de l'Ontario
« Fidèle elle a commencé, fidèle elle demeure »

0 km   100   200   300

Le savais-tu ?

L'autoroute 401, qui relie les villes de Windsor et de Cornwall, mesure 820 kilomètres de long. Avec plus de 400 000 véhicules qui l'empruntent chaque jour, elle est une des routes les plus fréquentées au monde !

Les grandes industries

L'Ontario occupe le premier rang de l'*industrie* manufacturière au Canada. Elle produit presque 60 % de tous les produits d'exportation. L'industrie de l'assemblage de véhicules automobiles est très importante. Elle emploie plus de 140 000 Ontariens. Les véhicules produits sont des voitures, des fourgonnettes, des camions, des autobus et des véhicules militaires.

Moosonee

Québec

Ottawa et le gouvernement canadien

Les édifices du Parlement canadien sont situés à **Ottawa**, la capitale du Canada. C'est ici que les femmes et les hommes politiques élus par la population élaborent les lois qui régissent le pays.

Timmins

Sudbury

Ottawa

Cornwall

Le sol de la région de **Sudbury** est l'un des plus riches en nickel au monde.

La **Tour du CN** s'élève à 553 mètres en plein cœur de Toronto.

Kingston

Oshawa

Toronto

St. Catharines-Niagara

London

Hamilton

Toronto est la capitale de la province et la plus grande ville du Canada. On y parle plus de 70 langues, dont l'anglais, le français, le chinois, l'italien et l'allemand.

Kitchener

Windsor

Québec

La belle province

Le Québec est la plus grande province canadienne. Ses paysages d'une grande beauté lui ont valu le surnom de «la belle province». De vieilles montagnes plissées et arrondies parcourent le Sud du Québec. Le fleuve Saint-Laurent traverse cette région avant de se jeter dans l'océan Atlantique. Les rives du fleuve sont propices à l'agriculture. Plus au nord, se dresse une région montagneuse, les Laurentides. Les montagnes et les collines disparaissent ensuite pour laisser la place à un immense territoire plat et couvert d'une forêt dense. Le Québec compte plus de 130 000 rivières et 1 million de lacs.

myrique baumier

baie d'Hudson

Grande rivière à la Baleine

La Grande Rivière

loutre de rivière

baie James

Des forêts à perte de vue !

Les forêts québécoises couvrent près de la moitié de la province. Les forêts de *conifères* et de feuillus sont très importantes pour le Québec. Leur bois est utilisé dans la fabrication du papier, du carton et du bois de construction.

Origine du nom de la province
La province de Québec tire son nom du mot algonquin *kebec*, qui signifie «là où la rivière rétrécit». Ce nom fait référence au rétrécissement du fleuve Saint-Laurent près de la ville de Québec.

Le savais-tu ?

Les eaux froides du *fjord* du Saguenay sont riches en poissons, crevettes, calmars et vers de mer, les aliments favoris du béluga. Le nom béluga vient du mot russe *belyi* qui signifie «blanchâtre».

Ontario

lièvre

rivière des Outaouais

bouleau jaune

iris versicolore

harfang des neiges

Les richesses du sol

Le sol du Québec est riche en *minerais* comme l'or, l'argent, le cuivre, le zinc et le fer. Le plus important gisement d'amiante du Canada se trouve à Asbestos. Cette fibre est utilisée dans la fabrication de certaines pièces d'automobiles et de bateaux.

Le **mont D'Iberville** est le plus haut sommet du Québec (1 652 mètres).

baie d'Ungava

caribou

réservoir de Caniapiscau

Terre-Neuve et Labrador

sapin baumier

rorqual à bosse

Le paradis des oiseaux marins

L'*archipel* des îles de la Madeleine compte une douzaine d'îles dans le golfe du Saint-Laurent. On y retrouve de belles plages et des dunes de sable doré. Des milliers d'oiseaux nichent près des magnifiques falaises rouges.

Le **lac Mistassini** est le plus grand lac du Québec.

réservoir Manicouagan

L'**île d'Anticosti** est la plus grande île du Québec.

Sept-Îles

lac Mistassini

Le *fjord* du Saguenay est l'un des plus longs du monde.

fleuve Saint-Laurent

béluga

Gaspé

golfe du Saint-Laurent

lac Saint-Jean

réservoir Gouin

Saguenay

Long d'environ 1 200 kilomètres, le **fleuve Saint-Laurent** prend sa source dans les Grands Lacs en Ontario et se jette dans l'océan Atlantique.

îles de la Madeleine

fou de Bassan

océan Atlantique

Québec

Lévis

Trois-Rivières

érable à sucre

Un paysage enchanteur

Le parc national de la Mauricie se trouve dans la région montagneuse des Laurentides. De nombreux ruisseaux et de jolies cascades parcourent les collines couvertes de forêts. C'est l'endroit idéal pour faire des activités de plein air.

Laval

Asbestos

Sherbrooke

Gatineau

Longueuil

Montréal

États-Unis

Une province unique

Plus de 7 millions de personnes vivent au Québec. Elle est la deuxième province la plus peuplée du Canada. La majorité des Québécois sont *francophones*, ce qui en fait une province unique. Les premiers habitants de la province sont les Cris, les Montagnais et les Micmacs et plus au nord, les Inuits. De nombreux *immigrants* d'Europe, d'Afrique, d'Amérique latine et d'Asie ont apporté au Québec une grande richesse culturelle. L'*industrie* québécoise repose surtout sur la coupe du bois, l'agriculture, les mines et l'*hydroélectricité*. La province se spécialise aussi dans les sciences de l'espace, les sciences de la santé et les télécommunications.

Le savais-tu ?

En 1959, le Québécois Joseph-Armand Bombardier invente le *ski-dog*, l'ancêtre de la motoneige (*ski-doo*®). Son véhicule équipé de patins permettait de se déplacer facilement sur la neige !

Les aliments de la ferme

Le Québec est le principal *producteur* laitier du Canada. Les produits laitiers sont transformés en fromage, en yogourt et en beurre. Les agriculteurs élèvent aussi le porc, le poulet et le bœuf pour leur viande.

Vous parlez français ?

Le Québec est la seule province du Canada où le français est la langue la plus parlée. Quatre Québécois sur cinq parlent cette langue à la maison, à l'école et au travail. Au Québec, les gens sont très fiers de leurs racines *francophones*.

Ontario

Devise du Québec
« Je me souviens »

0 km 100 200 300

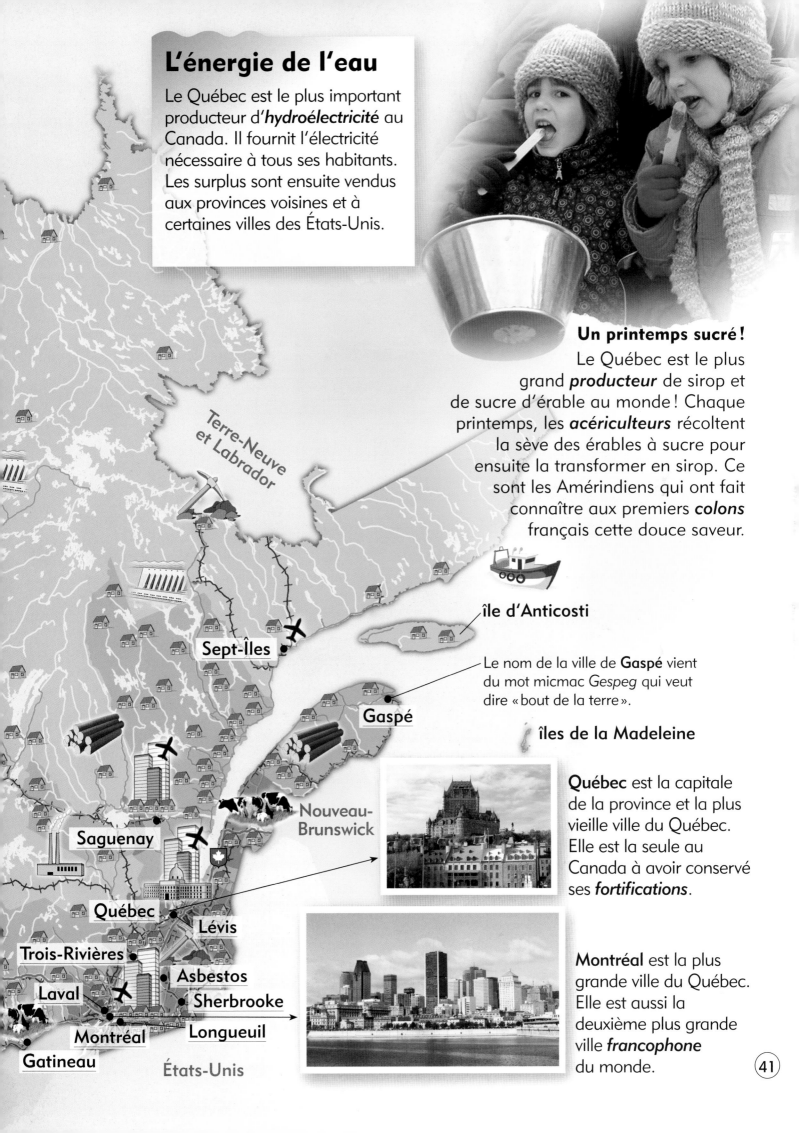

L'énergie de l'eau

Le Québec est le plus important producteur d'**hydroélectricité** au Canada. Il fournit l'électricité nécessaire à tous ses habitants. Les surplus sont ensuite vendus aux provinces voisines et à certaines villes des États-Unis.

Un printemps sucré !

Le Québec est le plus grand **producteur** de sirop et de sucre d'érable au monde ! Chaque printemps, les **acériculteurs** récoltent la sève des érables à sucre pour ensuite la transformer en sirop. Ce sont les Amérindiens qui ont fait connaître aux premiers **colons** français cette douce saveur.

Terre-Neuve et Labrador

île d'Anticosti

Le nom de la ville de **Gaspé** vient du mot micmac *Gespeg* qui veut dire «bout de la terre».

îles de la Madeleine

Sept-Îles

Gaspé

Nouveau-Brunswick

Saguenay

Québec

Lévis

Trois-Rivières

Asbestos

Laval

Sherbrooke

Montréal

Longueuil

Gatineau

Québec est la capitale de la province et la plus vieille ville du Québec. Elle est la seule au Canada à avoir conservé ses **fortifications**.

Montréal est la plus grande ville du Québec. Elle est aussi la deuxième plus grande ville **francophone** du monde.

Nouveau-Brunswick

Québec

L'entrée des Maritimes

Le Nouveau-Brunswick, la Nouvelle-Écosse et l'Île-du-Prince-Édouard sont les provinces maritimes. Elles sont situées en bordure de l'océan Atlantique. Le Nouveau-Brunswick est la plus grande des trois provinces. Ses paysages sont très variés. La **chaîne de montagnes** des Appalaches traverse le Nord de la province. Plus au sud, le sol est légèrement ondulé et recouvert de vastes forêts. Les rives du fleuve Saint-Jean offrent des terres idéales pour l'agriculture. Les côtes de la province sont bordées de plages.

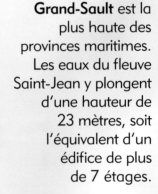

Edmunston

épinette rouge

La **chute de Grand-Sault** est la plus haute des provinces maritimes. Les eaux du fleuve Saint-Jean y plongent d'une hauteur de 23 mètres, soit l'équivalent d'un édifice de plus de 7 étages.

États-Unis

fleuve Saint-Jean

La forêt reine

Environ 85 % de la province sont couverts de forêts parcourues de centaines de cours d'eau. Cet environnement d'une grande beauté offre de nombreux abris aux animaux.

Le **fleuve Saint-Jean** est le plus long cours d'eau du Nouveau-Brunswick (673 kilomètres).

Origine du nom de la province
La province a été nommée en l'honneur du roi George III, descendant de la Maison de Brunswick.

Les trésors de la terre

Le sol du Nouveau-Brunswick est riche en métaux tels que l'argent, le cuivre, l'or et le plomb. On y trouve aussi du sable, du gravier et des pierres, utilisés comme matériaux de construction.

Le savais-tu ?

Le plus vieux **fossile** de requin a été trouvé tout près de la ville de Campbellton. Âgé de 409 millions d'années, le requin fossilisé ne mesure qu'une cinquantaine de centimètres de long.

violette cucullée

mésange à tête noire

sapin baumier

Campbellton

baie des Chaleurs

golfe du Saint-Laurent

N
O — E
S

baleine noire

Le **mont Carleton** est le sommet le plus élevé des Maritimes (820 mètres).

Bathurst

rivière Nepisiguit

orignal

saumon

rivière Miramichi

Miramichi

tilleul

Protéger la nature

Le Nouveau-Brunswick compte plusieurs parcs et sites naturels qui ont été créés pour protéger les habitats des plantes et des animaux. La dune de Bouctouche est une des dernières grandes dunes de sable d'Amérique du Nord.

détroit de Northumberland

Shédiac

Moncton
Riverview — Dieppe

Fredericton

Grand Lake

canard noir

Grand Lake est le plus grand lac du Nouveau-Brunswick.

Nouvelle-Écosse

cerf de Virginie

Quispamsis
Saint-Jean

baie de Fundy

Les plus hautes marées du monde

La baie de Fundy connaît les marées les plus hautes du monde ! En certains endroits, l'eau monte de 16 mètres en quelques heures seulement, soit la hauteur d'un édifice de 5 étages.

dauphin

L'**île du Grand Manan** est un véritable paradis pour les amoureux de la nature qui peuvent y observer plus de 330 *espèces* d'oiseaux. Les eaux entourant l'île accueillent des baleines et des dauphins.

La terre des Acadiens

Le Nouveau-Brunswick était peuplé à l'origine par les peuples amérindiens micmacs et malécites. Il y a 400 ans, les Français sont venus s'y établir et deviendront les Acadiens. Ils ont ensuite été rejoints par des Anglais, des Écossais et des Irlandais, et par d'autres *immigrants*. La majorité des 730 000 Néo-Brunswickois habitent dans les villes situées le long des côtes et dans la vallée du fleuve Saint-Jean. Plusieurs travaillent dans les *industries* de l'alimentation, de la fabrication du papier et du bois de construction. D'autres sont pêcheurs ou agriculteurs. Le Nouveau-Brunswick est la seule province canadienne officiellement bilingue. On y parle l'anglais, mais le tiers de la population est *francophone*.

Un peuple accueillant !

Plusieurs Acadiens du Nouveau-Brunswick vivent dans de petits villages situés le long de la côte de l'océan Atlantique. Ces gens accueillants et fiers possèdent une *culture* vivante où la musique, la danse et les traditions culinaires sont importantes.

Québec

Edmunston

Edmunston est une ville *francophone* où l'on trouve des *industries* de production de papier.

États-Unis

Le plus long pont couvert du monde se trouve à **Hartland**. Il mesure 390 mètres.

Hartland

Le savais-tu ?

La première tablette de chocolat a été inventée à St. Stephen par la confiserie Ganong, il y a un peu plus de 125 ans.

St. Stephen

Devise du Nouveau-Brunswick
« L'espoir renaît »

0 km   50

Campbellton

Bathurst

Miramichi

Les plaisirs hivernaux

Environ 400 centimètres de neige tombent au Nouveau-Brunswick en hiver. Le parc provincial Sugarloaf est situé dans la région montagneuse du Nord de la province. C'est un endroit très apprécié par les skieurs.

Les trésors de la mer

La pêche est une activité importante qui emploie plusieurs milliers de personnes au Nouveau-Brunswick. On y pêche plus de 50 variétés de poissons, de crustacés et de mollusques. La ville de Shédiac est qualifiée de « capitale mondiale du homard ».

Le **barrage Mactaquac** est le plus important barrage hydroélectrique des Maritimes.

Shédiac

Moncton

Dieppe

Riverview

Fredericton

Moncton est une ville dynamique et un centre culturel important.

Nouvelle-Écosse

Quispamsis

Saint-Jean est la plus grande ville du Nouveau-Brunswick et la plus ancienne de la province.

Saint-Jean

île du Grand Manan

Un arbre aux multiples usages

Le sapin baumier est présent en grande quantité dans les forêts du Nouveau-Brunswick. Son bois produit un papier de grande qualité. On cultive aussi le sapin baumier pour faire des arbres de Noël.

Fredericton est la capitale du Nouveau-Brunswick.

45

Nouvelle-Écosse

Entre terre et mer

La Nouvelle-Écosse est presque une île. Elle est rattachée au Nouveau-Brunswick par une bande de terre : l'isthme de Chignectou. Du côté de l'océan Atlantique, les contours de la Nouvelle-Écosse forment comme une dentelle de caps rocheux et de baies. Le long du détroit de Northumberland, des plages de sable blond sont baignées par des eaux chaudes. On compte plus de 870 îles en Nouvelle-Écosse. La plus grande, l'île du Cap Breton, offre des paysages d'une grande beauté. Les terres à l'intérieur de la Nouvelle-Écosse sont rocailleuses et vallonnées. On y trouve beaucoup de forêts, une multitude de ruisseaux et plus de 3 000 lacs.

Origine du nom de la province
La province a été nommée en l'honneur des premiers *colons* venus d'Écosse.

golfe du Saint-Laurent

Île-du-Prince-Édouard

détroit de

isthme de Chignectou

Amherst

Nouveau-Brunswick

À contre-courant

Deux fois par jour, une vague remonte la rivière Salmon en sens inverse. Ce phénomène étrange est causé par les puissantes marées de la baie de Fundy qui débordent jusqu'à dans la rivière.

baie de Fundy

Le plus vieux reptile
Le plus vieux reptile connu est *Hylonomus lyelli*. Cet animal vivait sur la Terre, il y a 315 millions d'années. Des *fossiles* de cet animal préhistorique ont été retrouvés dans de vieilles souches d'arbres, en Nouvelle-Écosse.

Digby

tortue mouchetée

lac Rossignol

bouleau jaune

Yarmouth

Shelburne

fleur de mai

balbuzard

desmine

épinette rouge

îles de la Madeleine (Québec)

détroit de Cabot

Les **hautes terres du Cap Breton** forment les plus hauts sommets de la province (532 mètres).

île du Cap Breton

Sydney

lynx

lac Ainslie

lac Bras d'Or

Le **lac Bras d'Or** est le plus grand lac des Maritimes.

Northumberland

pruche du Canada

Pictou

rivière St. Mary's

rivière Salmon

Truro

rivière Shubenacadie

roselin pourpré

océan Atlantique

crabe

Dartmouth

Halifax

La **rivière Shubenacadie** est la plus longue rivière de la Nouvelle-Écosse (50 kilomètres).

Lunenburg

rivière La Have

Des paysages à couper le souffle

Le parc national des Hautes-Terres-du-Cap-Breton offre un des plus beaux circuits panoramiques du Canada. Les amoureux de la nature peuvent y admirer des falaises spectaculaires qui plongent dans l'océan Atlantique.

île de Sable

Le savais-tu?

Des bancs riches en poissons et en crustacés se trouvent à quelques kilomètres des rives de la Nouvelle-Écosse. Des navires du monde entier viennent y pêcher le homard, le crabe, l'aiglefin, le flétan et le hareng.

Une dune sous l'océan

L'île de Sable est la pointe d'une énorme dune qui s'est formée à 300 kilomètres au large d'Halifax, dans l'océan Atlantique. L'île accueille des chevaux qui vivent à l'état sauvage depuis des centaines d'années. La dune est si haute qu'on pourrait y enterrer un édifice de 13 étages!

Du charbon et du gypse

Le sol de la Nouvelle-Écosse cache de grandes quantités de charbon. Ce *combustible* est utilisé pour produire de l'électricité. La Nouvelle-Écosse fournit aussi presque tout le gypse canadien. Le gypse est une roche utilisée comme matériau de construction.

Vibrante d'histoire

Avec plus de 900 000 habitants, la Nouvelle-Écosse est la province la plus peuplée des Maritimes. La plupart des Néo-Écossais vivent dans des villes situées le long des côtes. Plusieurs d'entre eux travaillent dans les *industries* du bois, des mines et du tourisme. La pêche est aussi une activité économique importante. Les principales prises sont la morue, l'aiglefin, la goberge, le homard, le pétoncle et le crabe. Les premiers habitants de la Nouvelle-Écosse étaient les Amérindiens micmacs. Ils ont été rejoints, il y a 400 ans, par des Français. Ces derniers ont fondé les premiers établissements européens au Canada. Plus tard, des Anglais, des Écossais, des Irlandais, des Allemands et des Hollandais ont immigré en Nouvelle-Écosse.

Le savais-tu ?

Le Nouveau-Brunswick et l'Île-du-Prince-Édouard faisaient autrefois partie de la Nouvelle-Écosse. Les provinces se sont séparées il y a un peu plus de 200 ans.

Île-du-Prince-Édouard

détroit d

Nouveau-Brunswick

La ville de **Amherst** est la porte d'entrée de la Nouvelle-Écosse.

Amherst

Le berceau de l'Acadie

C'est à Port-Royal que les Français ont établi la première *colonie* au Canada en 1605. Cet établissement était situé sur les rives de la baie de Fundy, tout près de la ville actuelle d'Annapolis Royal. Plusieurs villages acadiens sont encore bien vivants en Nouvelle-Écosse.

Les terres les plus fertiles de la province se trouvent dans la **vallée de l'Annapolis**, qui est réputée pour ses délicieuses pommes.

baie de Fundy

Annapolis Royal

Digby

Shelburne

Devise de la Nouvelle-Écosse
« L'un protège, l'autre conquiert »

0 km   50   100

Yarmouth

48

Sydney est la plus grande ville de l'île du Cap Breton. On y trouve beaucoup d'*industries* et de centres commerciaux.

île du Cap Breton

● Glace Bay

● Sydney

digue de Canso

Northumberland

● Pictou

● Truro

Défendre le Canada

La ville d'Halifax a longtemps joué un rôle important dans la défense de la côte Est canadienne. La construction de la citadelle d'Halifax a duré 28 ans et a été complétée en 1856. Elle visait à protéger la ville des éventuelles attaques.

île de Sable

Un bel héritage culturel

Plusieurs descendants d'Écossais habitent en Nouvelle-Écosse. Leurs danses, accompagnées par le son de la cornemuse, rappellent leurs origines. La plupart d'entre eux se sont établis sur les rives du détroit de Northumberland.

Dartmouth

● Halifax

● Lunenburg

Halifax est la capitale de la Nouvelle-Écosse et la plus grande ville de la province. Son port est un des plus occupés au monde.

Une goélette célèbre

Le *Bluenose* était une goélette. Cette embarcation qui mesurait 43,6 mètres de long a été construite à Lunenburg, en 1921. Le *Bluenose* a remporté presque tous les concours de vitesse auxquels il a participé. Depuis 1937, il figure sur la pièce de monnaie canadienne de dix cents. De nos jours, il est possible d'admirer sa réplique, le *Bluenose II*.

49

Île-du-Prince-Édouard

Paysages aux mille couleurs

L'Île-du-Prince-Édouard est la plus petite province canadienne. Elle est séparée du Nouveau-Brunswick et de la Nouvelle-Écosse par le détroit de Northumberland. Malgré sa petite taille, la province est réputée pour sa beauté et son charme unique. Ses paysages sont faits de jolis vallons aux coloris de jaune, de vert et d'ocre. Les campagnes paisibles y côtoient de majestueuses falaises rouges et le bleu de la mer. Il y a très peu de lacs et de rivières à l'Île-du-Prince-Édouard. Plus de la moitié de l'île est couverte de forêt.

Un sol rouillé

Le sol de l'Île-du-Prince-Édouard est composé de fer. Au contact de l'oxygène de l'air, le fer rouille. Le fer rouillé donne une couleur rougeâtre à la terre et confère à la province un caractère unique.

flétan

golfe du Saint-Laurent

•Tignish

homard

•Alberton

vison

huître

O'Leary •

Malpèqu

hêtre

Wellington

Summerside

Origine du nom de la province
La province a été nommée en l'honneur d'Édouard, qui fut duc de Kent en 1799.

Le savais-tu ?

Peu importe l'endroit où l'on se trouve sur l'île, on n'est jamais à plus de 16 kilomètres de la mer.

sabot de la Vierge

chêne rouge

geai bleu

Un parc le long de la mer

Le parc national de l'Île-du-Prince-Édouard s'étend le long de la côte Nord de l'île. Il vise à protéger les falaises de grès rouge, les marais d'eau salée et les étangs d'eau douce où vivent plusieurs animaux et plantes menacés d'extinction.

Un oiseau majestueux

Plus de 330 *espèces* d'oiseaux nichent sur l'Île-du-Prince-Édouard. Parmi eux, on trouve le grand héron. Ces oiseaux majestueux se rassemblent en communautés importantes le long des rives de la province.

La **rivière Hillsborough**, ou *Mimtugaak* en langue micmaque, est la plus longue de l'île (45 kilomètres).

pin rouge

•Souris

dauphin

rivière Cardigan

Cavendish

paruline jaune

renard roux

•Montague

rivière Hillsborough

Charlottetown

Cornwall •

• Stratford

détroit de Northumberland

Le plus haut sommet de la province se trouve dans les **collines Bonshaw** (142 mètres).

Des kilomètres de sable

Les plages de l'Île-du-Prince-Édouard sont parmi les plus belles d'Amérique du Nord. Par endroits, le sable blanc s'étend à perte de vue ou crée des dunes dont les formes changent au gré des saisons.

Nouvelle-Écosse

Le berceau du Canada

Avec ses 138 000 habitants, l'Île-du-Prince-Édouard est la province la moins peuplée du Canada. Toutefois, en raison de sa petite taille, elle est celle qui possède la plus forte densité de population. Les villes sont peu nombreuses à l'Île-du-Prince-Édouard. La majorité des habitants vivent dans les campagnes. Les premiers habitants de l'île furent les Amérindiens micmacs. Ils ont été rejoints par des *colons* français (les Acadiens) et des *immigrants* britanniques (anglais, écossais et irlandais). De nos jours, 8 personnes sur 10 sont d'origine britannique et parlent l'anglais, alors qu'une seule personne sur 10 est d'origine acadienne. L'agriculture et la pêche emploient beaucoup de Prince-Édouardiens. Le tourisme est également une activité économique très importante. Chaque année, les *insulaires* accueillent environ 1 million de visiteurs, soit presque 10 fois plus que la population de l'île !

La naissance d'un pays
Province House est située à Charlottetown. C'est dans cet édifice que des délégués politiques se sont rencontrés en 1864, pour créer le Canada. En raison de cet événement historique, la province est qualifiée de «Berceau du Canada».

Une culture bien vivante

Les Micmacs habitent l'Île-du-Prince-Édouard depuis 10 000 ans. L'île Lennox et Scotchfort accueillent deux communautés dont la *culture* authentique est toujours bien vivante.

Tignish

Alberton

île Lennox

O'Leary

Malpèque

Summerside

Wellington

La **région** **Évangéline** accueille une communauté acadienne bien vivante et fière de ses origines.

Summerside est la deuxième plus grande ville de la province.

Nouveau-Brunswick

Devise de la province
«Le petit sous la protection du grand»

0 km   10   20   30   40   50

Une province inspirante

Chaque année, des milliers de personnes se rendent à **Cavendish** pour visiter *Green Gables*. Cette maison a inspiré l'auteure Lucy Maud Montgomery pour l'écriture de son célèbre roman «Anne, la maison aux pignons verts».

Charlottetown est la capitale et la plus grande ville de la province.

Souris

La moitié du territoire de la province est utilisé pour l'agriculture. La terre rougeâtre qui recouvre l'île est idéale pour la culture de fruits et légumes. L'Île-du-Prince-Édouard produit le tiers des **pommes de terre** du Canada.

Cavendish

Scotchfort

Montague

Charlottetown

Stratford

Cornwall

détroit de Northumberland

Un pont relie l'île au continent

Depuis 1997, les voyageurs peuvent emprunter le pont de la Confédération qui relie l'Île-du-Prince-Édouard au Nouveau-Brunswick. Long de 12,9 kilomètres, le pont est une merveille de la technologie. Il est conçu pour résister au gel hivernal et aux glaces du détroit de Northumberland.

Nouvelle-Écosse

Terre-Neuve et Labrador

La beauté d'un paysage rude

Terre-Neuve et Labrador est la province la plus à l'est du Canada. Elle comprend deux régions distinctes. L'île de Terre-Neuve est de forme triangulaire et se trouve dans l'océan Atlantique. Son paysage pittoresque est formé de montagnes, de falaises escarpées et de *fjords* profonds. Le Labrador est incrusté dans la province de Québec. Au nord de cette vaste région sauvage, se dressent d'immenses montagnes dépourvues de *végétation*. Une grande partie de la province est couverte d'une forêt dense, qui procure des habitats à une grande diversité d'animaux et de plantes.

Le **mont Caubvick** est la plus haute montagne du Labrador (1 652 mètres). Au Québec, elle est nommée mont D'Iberville.

mer du Labrador

Les *chaînes de montagnes* du Labrador comptent parmi les plus anciennes de la planète.

caribou

Le plus grand lac de la province est le **réservoir Smallwood**, situé au Labrador.

sapin baumier

réservoir Smallwood

Churchill Falls

Labrador

Richesse du sol

Le sol du Labrador est riche en fer, un métal grisâtre utilisé dans la fabrication de l'acier. Sur l'île de Terre-Neuve, on exploite le nickel, le cuivre et le cobalt.

Labrador City

Wabush

Origine du nom Labrador
Pendant des siècles, les Portugais traversaient l'océan Atlantique pour pêcher le long des côtes du Labrador. Ils auraient nommé cette terre *lavrador*, qui signifie «propriétaire».

L'**airelle d'Ida** est une plante aux fruits succulents, très populaires dans la province.

sarracénie pourpre　　**macareux moine**　　**labradorite**　　**épinette noire**

Une vie sous-marine extraordinaire

Une grande partie du territoire de la province se trouve sous l'eau! Les Grands Bancs sont des terres immergées qui forment une plate-forme peu profonde, deux fois et demie plus grande que l'île de Terre-Neuve! La vie sous-marine y est impressionnante.

Des îles de glace flottantes

Au printemps, les icebergs se détachent des glaciers du Nord de l'océan Atlantique et flottent le long des rivages du Labrador et de Terre-Neuve. Seule la pointe de l'iceberg est visible, sa plus grande partie se trouve sous l'eau.

La plus grande colonie d'oiseaux de mer au monde!

Des millions d'océanites culs-blancs et des milliers de macareux moines nichent à l'île Baccalieu. On peut aussi y observer le fulmar boréal, la mouette tridactyle, le guillemot commun, le guillemot de Brunnich et le petit pingouin.

rorqual commun

lagopède des saules

lac Melville

Happy Valley-Goose Bay

lynx

rivière Churchill

Québec

détroit de Belle-Isle

L'Anse aux Meadows

océan Atlantique

Terre-Neuve

île Baccalieu

rivière Gander

Gander

St. John's

Bay Roberts

bouleau blanc
Grand Lac

Grand Falls-Windsor

Corner Brook

Mount Pearl

Entre terre et mer

Le parc national du Gros-Morne se trouve sur la côte Ouest de Terre-Neuve. Les montagnes qui en font partie ont été «arrondies» par l'action du vent et de la glace.

Stephenville

orignal

rivière des Exploits

Conception Bay South

Marystown

Origine du nom Terre-Neuve
C'est Jean Cabot, un navigateur italien, qui baptisa l'île *Terra Nova*, qui veut dire «nouvelle île».

Channel-Port aux Basques

crevette

Grands Bancs de Terre-Neuve

Une province accueillante

La province de Terre-Neuve et du Labrador possède une histoire reliée de très près à la pêche. Les premiers habitants, les Béothuks, étaient des chasseurs de baleines très habiles. Tour à tour, les *navigateurs* vikings et les pêcheurs basques, français et anglais sont venus profiter des richesses marines de la région. De nos jours, la pêche occupe encore une place très importante dans la vie des 516 000 Terre-Neuviens et Labradoriens. La province possède une *culture* unique qui attire des centaines de milliers de voyageurs du monde entier.

Le savais-tu ?

C'est à Signal Hill, près de la ville de St. John's, que l'Italien Guglielmo Marconi réussit à capter le premier message radio transmis au-delà de l'océan Atlantique, en 1901.

mer du Labrador

Québec

Un ancien village viking

Il y a plus de mille ans, des *navigateurs* vikings ont construit trois longues maisons et cinq édifices plus petits, faits de bois et de gazon, à L'Anse aux Meadows. Ces grands aventuriers ont été les premiers Européens à s'établir en Amérique du Nord.

Un gigantesque projet hydroélectrique est aménagé près de **Churchill Falls.**

Churchill Falls

Les villes de **Labrador City** et de **Wabush** sont les plus importants *producteurs* de fer de la province.

Wabush

Labrador City

Devise de la province
« Cherchez d'abord le royaume de Dieu »

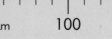

0 km 100 200 300

56

Un peuple disparu

Les Béothuks vivaient le long des côtes de Terre-Neuve où ils se nourrissaient de phoques, de baleines, de poissons et de mollusques. L'arrivée des pêcheurs européens a repoussé les Béothuks vers l'intérieur des terres de la province. La maladie et la famine se sont abattues sur la population. En 1829, ce peuple était entièrement disparu.

Demasduit, une des dernières Béothuks.

Industrie de la pêche

L'*économie* de la province reposait autrefois sur la pêche à la morue. Il y a quelques années, le Canada a interdit la pêche de ce poisson au large de Terre-Neuve et du Labrador parce qu'il était menacé de disparition. Aujourd'hui, la province est le plus grand fournisseur de crevettes d'eau froide du monde.

St. John's est la capitale et la plus grande ville de la province.

La localité d'**Elliston** possède 135 vieux caveaux souterrains recouverts d'herbe. Ceux-ci servaient autrefois à garder les légumes des récoltes et la viande au frais.

Happy Valley-Goose Bay

L'Anse aux Meadows

De l'or noir en pleine mer

D'immenses gisements de pétrole se trouvent sous les Grands Bancs de Terre-Neuve. Hibernia est la plus lourde plate-forme de forage au monde. Large comme deux terrains de football, elle est aussi haute qu'un gratte-ciel de 75 étages.

Elliston

Gander

St. John's

Grand Falls-Windsor

Bay Roberts

Mount Pearl

Corner Brook

Stephenville

Conception Bay South

Marystown

Channel-Port aux Basques

Grands Bancs de Terre-Neuve

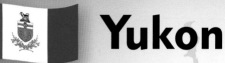

Territoires du Nord-Ouest

Yukon  Nunavut

Des terres de glaces

Le Canada possède trois territoires : le Yukon, les Territoires du Nord-Ouest et le Nunavut. Le *climat* des territoires canadiens est rigoureux. La température y est froide et les étés très courts. La partie Sud est couverte de denses forêts de *conifères*, parsemées de milliers de lacs et de rivières. Plus au nord, les arbres se font rares et cèdent la place à de vastes étendues de neige et de glace. L'Est des territoires est fait de paysages rocheux tandis que le Centre se compose de vastes plaines. Dans l'Ouest, des montagnes spectaculaires s'élèvent et créent des paysages d'une grande beauté.

détroit de McClur

mer de Beaufort

île Banks

Le **fleuve Mackenzie** est le plus long fleuve au Canada (4241 kilomètres).

saule arctique

Inuvik

golfe d'Amundsen

renard arctique

Le **mont Logan** est le plus haut sommet du Canada (5959 mètres).

Dawson

Yukon

lac Laberge

Whitehorse

mont Nirvana

Le **parc national de Kluane** accueille un des plus grands rassemblements de grizzlis en Amérique du Nord.

rivière Liard

Colombie-Britannique

Le **Grand lac de l'Ours** est le plus grand lac du Canada et le huitième plus grand lac au monde.

Territoire du Nord-Oue

Behchoko

Yellowknife

Grand lac de Esclaves

Hay River

Fort Smith

bison

parc national Wood Buffalo

Alberta

Origine du nom Yukon
Ce sont les Gwich'in qui ont donné son nom au Yukon : *Yu-kun-ah* signifie « la grande rivière ».

Le savais-tu ?

C'est au parc national Wood Buffalo que l'on trouve le plus important troupeau de bisons en liberté au monde.

| lazulite | grand corbeau | épilobe à fleurs étroites | sapin subalpin |

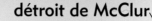

58

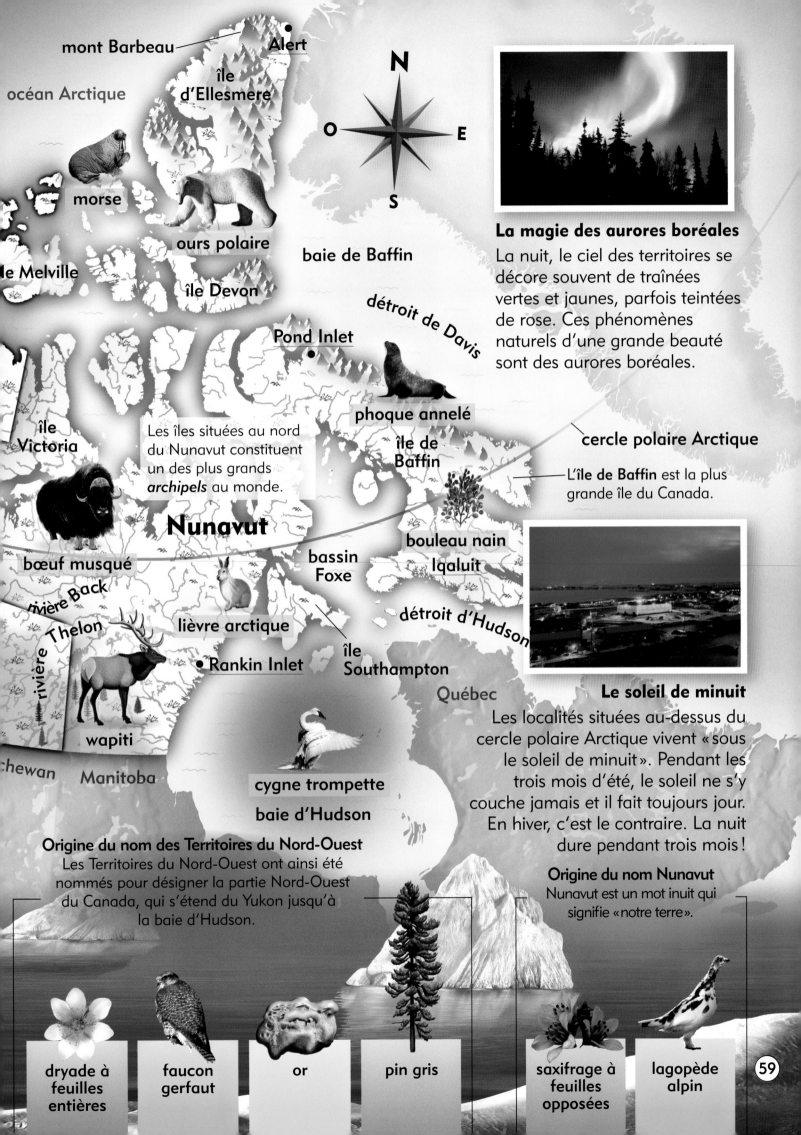

mont Barbeau

Alert

île d'Ellesmere

océan Arctique

morse

ours polaire

le Melville

île Devon

baie de Baffin

détroit de Davis

Pond Inlet

phoque annelé

île Victoria

île de Baffin

Les îles situées au nord du Nunavut constituent un des plus grands *archipels* au monde.

Nunavut

bœuf musqué

bouleau nain

Iqaluit

bassin Foxe

rivière Back

Thelon

lièvre arctique

détroit d'Hudson

• Rankin Inlet

île Southampton

wapiti

Québec

chewan   Manitoba

cygne trompette

baie d'Hudson

Origine du nom des Territoires du Nord-Ouest

Les Territoires du Nord-Ouest ont ainsi été nommés pour désigner la partie Nord-Ouest du Canada, qui s'étend du Yukon jusqu'à la baie d'Hudson.

La magie des aurores boréales

La nuit, le ciel des territoires se décore souvent de traînées vertes et jaunes, parfois teintées de rose. Ces phénomènes naturels d'une grande beauté sont des aurores boréales.

cercle polaire Arctique

L'île de Baffin est la plus grande île du Canada.

Le soleil de minuit

Les localités situées au-dessus du cercle polaire Arctique vivent «sous le soleil de minuit». Pendant les trois mois d'été, le soleil ne s'y couche jamais et il fait toujours jour. En hiver, c'est le contraire. La nuit dure pendant trois mois !

Origine du nom Nunavut

Nunavut est un mot inuit qui signifie «notre terre».

dryade à feuilles entières

faucon gerfaut

or

pin gris

saxifrage à feuilles opposées

lagopède alpin

Les territoires

Les trois territoires canadiens sont caractérisés par des *cultures* bien distinctes. Les peuples améridiens et inuits qui y vivent sont profondément attachés à la terre et entretiennent un lien sacré avec elle. La chasse, la pêche et la traite des fourrures sont des activités économiques importantes pour les habitants du Nord. Les *industries* forestière, minière et pétrolière ainsi que le tourisme emploient aussi beaucoup de personnes. De nombreux Canadiens viennent souvent s'installer de manière temporaire dans cette région pour y travailler. Puisque le *climat* froid n'est pas propice à l'agriculture, les fruits et les légumes proviennent d'ailleurs au pays.

La ruée vers l'or

Des pépites d'or ont été découvertes dans les rivières du Yukon, il y a plus de 100 ans. Suite à cette trouvaille, une foule d'aventuriers en quête d'or ont envahi le Yukon à la recherche du métal précieux.

île Banks

États-Unis

Inuvik

Dawson

Yukon

Territoires du Nord-Ouest

La ville de **Dawson** était au cœur de la ruée vers l'or.

Whitehorse

Behchoko

Yellowknife

Colombie-Britannique

Hay River

Fort Smith

Alberta

Whitehorse est la capitale du Yukon et la plus grande ville de ce territoire.

Le savais-tu ?

Aucune route ne relie les différentes *collectivités* inuites au Nunavut. Les habitants peuvent toutefois communiquer entre eux au moyen de la radio et d'Internet.

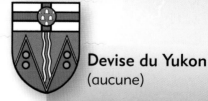

Yellowknife est la capitale des Territoires du Nord-Ouest.

Devise des Territoires du Nord-Ouest
(aucune)

Devise du Yukon
(aucune)

0 km   500

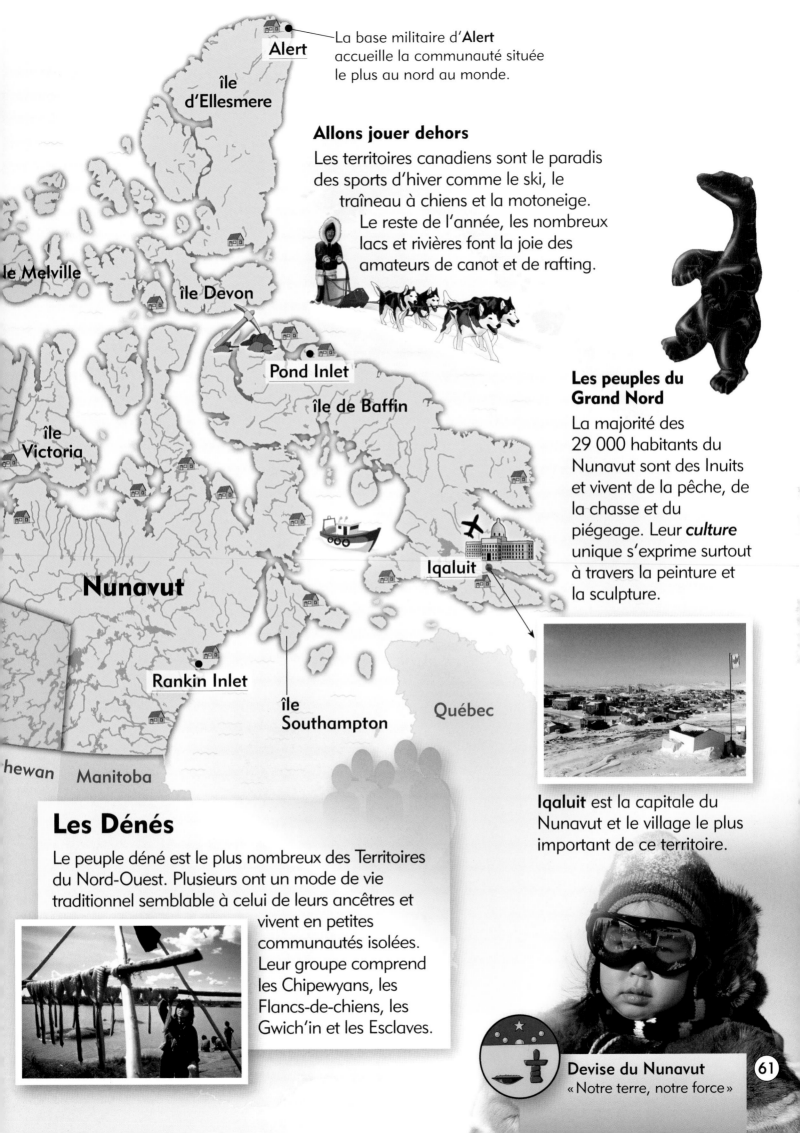

Alert — La base militaire d'**Alert** accueille la communauté située le plus au nord au monde.

île d'Ellesmere

le Melville

île Devon

Allons jouer dehors

Les territoires canadiens sont le paradis des sports d'hiver comme le ski, le traîneau à chiens et la motoneige. Le reste de l'année, les nombreux lacs et rivières font la joie des amateurs de canot et de rafting.

Pond Inlet

île de Baffin

île Victoria

Les peuples du Grand Nord

La majorité des 29 000 habitants du Nunavut sont des Inuits et vivent de la pêche, de la chasse et du piégeage. Leur *culture* unique s'exprime surtout à travers la peinture et la sculpture.

Nunavut

Iqaluit

Rankin Inlet

île Southampton

Québec

Iqaluit est la capitale du Nunavut et le village le plus important de ce territoire.

hewan   Manitoba

Les Dénés

Le peuple déné est le plus nombreux des Territoires du Nord-Ouest. Plusieurs ont un mode de vie traditionnel semblable à celui de leurs ancêtres et vivent en petites communautés isolées. Leur groupe comprend les Chipewyans, les Flancs-de-chiens, les Gwich'in et les Esclaves.

Devise du Nunavut « Notre terre, notre force »

61

Quelques données sur le Canada

L'étendue du Canada
9 984 670 km²

L'étendue des provinces

1	Québec	1 542 056 km²
2	Ontario	1 076 395 km²
3	Colombie-Britannique	944 735 km²
4	Alberta	661 848 km²
5	Saskatchewan	651 036 km²
6	Manitoba	647 797 km²
7	Terre-Neuve et Labrador	405 212 km²
8	Nouveau-Brunswick	72 908 km²
9	Nouvelle-Écosse	55 284 km²
10	Île-du-Prince-Édouard	5 660 km²

L'étendue des territoires

1	Nunavut	2 093 190 km²
2	Territoires du Nord-Ouest	1 346 106 km²
3	Yukon	482 443 km²

Entre terre et mer

Le Canada possède le plus long littoral au monde. Celui-ci mesure, en incluant le contour des îles, près de 202 080 kilomètres. Si nous pouvions l'étirer pour en faire une ligne droite, il ferait six fois le tour de la Terre!

Tic tac, tic tac...

Un fuseau horaire est une zone dans laquelle toutes les horloges sont réglées à la même heure. Le Canada s'étend sur six fuseaux horaires. Lorsqu'il est 8h00 du matin en Colombie-Britannique, il est 9h00 en Alberta, 10h00 au Manitoba, 11h00 au Québec, 12h00 en Nouvelle-Écosse et 12h30 à Terre-Neuve!

Toujours plus haut!

L'édifice de la *First Canadian Place*, à Toronto, est le plus haut gratte-ciel du Canada. Il mesure 290 mètres de haut et compte 72 étages.

La population du Canada
32 270 500

La population des provinces et des territoires

1	Ontario	12 541 400
2	Québec	7 598 100
3	Colombie-Britannique	4 254 500
4	Alberta	3 256 800
5	Manitoba	1 177 600
6	Saskatchewan	994 100
7	Nouvelle-Écosse	937 900
8	Nouveau-Brunswick	752 000
9	Terre-Neuve et Labrador	516 000
10	Île-du-Prince-Édouard	138 100
11	Territoires du Nord-Ouest	43 000
12	Yukon	31 000
13	Nunavut	30 000

Les principaux lacs et chaînes de montagnes

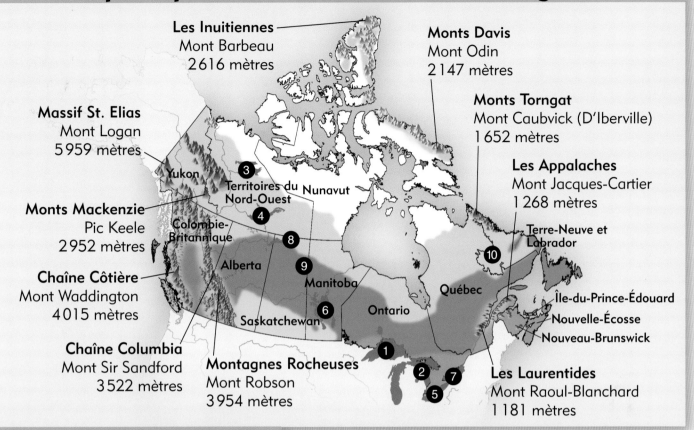

Les Inuitiennes
Mont Barbeau
2616 mètres

Monts Davis
Mont Odin
2147 mètres

Monts Torngat
Mont Caubvick (D'Iberville)
1652 mètres

Massif St. Elias
Mont Logan
5959 mètres

Les Appalaches
Mont Jacques-Cartier
1268 mètres

Monts Mackenzie
Pic Keele
2952 mètres

Chaîne Côtière
Mont Waddington
4015 mètres

Chaîne Columbia
Mont Sir Sandford
3522 mètres

Montagnes Rocheuses
Mont Robson
3954 mètres

Les Laurentides
Mont Raoul-Blanchard
1181 mètres

Yukon · Territoires du Nord-Ouest · Nunavut · Colombie-Britannique · Alberta · Saskatchewan · Manitoba · Ontario · Québec · Terre-Neuve et Labrador · Île-du-Prince-Édouard · Nouvelle-Écosse · Nouveau-Brunswick

Les dix plus grands lacs

1	Lac Supérieur	82 100 km^2
2	Lac Huron	59 600 km^2
3	Grand lac de l'Ours	31 328 km^2
4	Grand lac des Esclaves	28 568 km^2
5	Lac Érié	25 700 km^2
6	Lac Winnipeg	24 387 km^2
7	Lac Ontario	18 960 km^2
8	Lac Athabasca	7935 km^2
9	Lac du Caribou	6650 km^2
10	Réservoir Smallwood	6527 km^2

Les 10 régions urbaines les plus peuplées

La région de Toronto (Ontario p. 36-37)	5 304 100
La région de Montréal (Québec p. 40-41)	3 635 700
La région de Vancouver (Colombie-Britannique p. 20-21)	2 208 300
La région d'Ottawa-Gatineau (Ontario/Québec p. 36-37, 40-41)	1 148 800
La région de Calgary (Alberta p. 24-25)	1 060 300
La région d'Edmonton (Alberta p. 24-25)	1 016 000
La région de Québec (Québec p. 40-41)	717 600
La région d'Hamilton (Ontario p. 36-37)	714 900
La région de Winnipeg (Manitoba p. 32-33)	706 900
La région de London (Ontario p. 36-37)	464 300

En route !

La transcanadienne est la plus longue autoroute du monde. Elle traverse tout le Canada et mesure 7821 kilomètres !

Températures extrêmes

Le Canada connaît de grands écarts de température d'une région à l'autre et d'une saison à l'autre. La température la plus basse a été enregistrée à Snag, au Yukon. Le 3 février 1947, il a fait –62,8 °C. La température la plus élevée a été enregistrée dans le Sud de la Saskatchewan. Le 5 juillet 1937, il a fait 45 °C !

Glossaire

A

Acériculteur
Personne qui travaille dans une érablière et qui produit le sirop et le sucre d'érable.

Archipel
Groupe d'îles.

Autochtone
Les autochtones sont les premiers habitants d'un territoire. Au Canada, les autochtones désignent les Amérindiens, les Inuits et les Métis.

C

Chaîne de montagnes
Ensemble de montagnes reliées entre elles et orientées dans une même direction.

Climat
Ensemble des phénomènes météo propres à une région de la planète.

Collectivité
Groupe de personnes qui vivent au même endroit et qui partagent les mêmes intérêts.

Colon
Personne qui a quitté son pays d'origine pour aller vivre dans une colonie.

Colonie
Territoire qui est gouverné par un pays étranger.

Combustible
Matière solide ou liquide qui peut être brûlée pour produire de la chaleur ou de l'énergie.

Conifère
Arbre dont les feuilles sont des aiguilles et les fruits sont des cônes.

Corridor migratoire
Passage qu'empruntent certains animaux lors de leur migration.

Culture
Ensemble de traits particuliers à une collectivité qui englobe les arts et les écrits, les modes de vie, les droits de tous et chacun, les valeurs, les traditions et les croyances.

E

Économie
Ensemble des activités menées par un groupe de personnes (les habitants d'un pays, par exemple) et qui visent à produire, à distribuer et à consommer des ressources.

Espèce
Groupe d'animaux ou de plantes qui partagent des traits communs et qui sont capables de se reproduire entre eux.

F

Fjord
Vallée aux parois escarpées envahie par la mer.

Fortification
Muraille de pierre que l'on construit autour d'une ville pour la protéger.

Fossile
Reste ou empreinte d'un animal ou d'une plante ayant vécu en des temps anciens. Les fossiles ont été conservés dans la roche, le charbon, la cendre volcanique, la glace ou l'ambre (une résine de pin datant de 30 millions d'années).

Francophone
Personne qui parle français dans la vie de tous les jours.

H

Harde
Troupe d'animaux sauvages qui vivent ensemble.

Hydroélectricité
Production d'électricité par la force de l'eau (d'une chute ou d'un cours d'eau).

I

Immigrant
Personne qui quitte son pays d'origine pour aller vivre dans un nouveau pays.

Industrie
Entreprise qui transforme des matières naturelles (comme le bois) en produits finis (comme du papier ou des matériaux de construction).

Insulaire
Personne qui demeure sur une île.

M

Marécage
Terrain couvert d'eau par endroits et envahi par la végétation.

Migration
Déplacement de certains animaux sur de grandes distances.

Minerai
Roche dont on peut extraire des substances précieuses ou utiles, comme les métaux.

N

Navigateur
Marin qui effectue des voyages lointains en mer.

P

Producteur
Personne ou entreprise qui produit des biens (comme des aliments ou des métaux précieux) ou qui offre des services (comme un coiffeur ou un avocat).

R

Radioactif
Se dit d'une substance, comme le radium et l'uranium, qui émet des rayons généralement dangereux.

Réservoir
Étang ou un lac, naturel ou fait par l'homme, qui sert à emmagasiner l'eau.

Ressource
Ce que peut offrir la nature et qui peut être utilisé par les industries. L'eau, les arbres et les minéraux, comme le fer et le cuivre, en font partie.

V

Végétation
Ensemble des plantes qui poussent dans une région.